Los libros del P. Anthony de Mello fueron escritos en un contexto multi-religioso para ayudar a creyentes de otras religiones, agnósticos y ateos en su búsqueda espiritual, y en ningún caso fueron pensados por su autor como manuales de instrucción para los católicos en la doctrina o el dogma cristianos.

Colección «EL POZO DE SIQUEM»
46

Anthony de Mello, S.J.

CONTACTO CON DIOS

Charlas de Ejercicios

(8.ª edición)

Editorial SAL TERRAE
Santander

1.ª edición: Abril 1991	(14.000 ejemplares)
2.ª edición: Junio 1991	(15.000 ejemplares)
3.ª edición: Febrero 1992	(10.000 ejemplares)
4.ª edición: Noviembre 1992	(10.000 ejemplares)
5.ª edición: Noviembre 1993	(10.000 ejemplares)
6.ª edición: Enero 1995	(10.000 ejemplares)
7.ª edición: Agosto 1996	(10.000 ejemplares)
8.ª edición: Febrero 1998	(10.000 ejemplares)

Título del original inglés:
Contact with God. Retreat Conferences
© 1990 by Gujarat Sahitya Prakash
Anand (India)

Traducción:
Jesús García-Abril, S.J.
© 1991 by Editorial Sal Terrae
Polígono de Raos, Parcela 14-I
39600 Maliaño (Cantabria)
Fax: (942) 36 92 01
E-mail: salterrae@salterrae.es
http://www.salterrae.es

Con las debidas licencias
Impreso en España. Printed in Spain
ISBN: 84-293-0896-2
Dep. Legal: BI-83-98

Fotocomposición:
Didot, S.A. - Bilbao
Impresión y encuadernación:
Grafo, S.A. - Bilbao

Indice

Presentación 7

1. Recibir el Espíritu Santo 11

2. Los «Ejercicios» de los apóstoles 19

3. Disposición para iniciar los Ejercicios 33

4. Cómo orar 49

5. Las leyes de la oración 65

6. La oración de petición 85

7. Más «leyes» de la oración 95

8. La oración (del nombre) de Jesús 103

9. La oración compartida 125

10. Arrepentimiento 141

11. Los peligros del arrepentimiento 151

12. El aspecto social del pecado 165

13. El método benedictino 173

14. El Reino de Cristo 179

15. Conocer, amar y seguir a Cristo 187

16. Meditación sobre la vida de Cristo 201

Apéndice: Ayudas para la oración 213

Presentación

Los que conocieron de cerca a Tony de Mello saben, y seguramente recordarán, que su «ministerio» pasó por distintas etapas, de acuerdo, en parte, con las necesidades de las personas a las que sirvió en cada una de ellas, pero también de acuerdo con las exigencias de su propia evolución interior. Externamente, podría hablarse de sus sucesivas fases de «director espiritual», «terapeuta», «guru», etc.; internamente, en cambio, un íntimo amigo suyo ha hablado de «una progresión de valores desde la santidad hasta la libertad, pasando por el amor».

Como es obvio, dichos valores no se excluyen mutuamente, ni se trata tampoco de unas fases «compartimentalizadas». Se dio no sólo continuidad, sino también una cierta unidad entre los diversos papeles que desempeñó. De hecho, podría decirse que Tony fue, ante todo, un director espiritual propio de la gran tradición cristiana. Más aún, podría afirmarse que la razón última por la que fue tan popular hasta el final de sus días, cuando algunos abrigaban ya ciertos recelos acerca de su orientación, fue porque Tony jamás abjuró de sus comienzos y siempre supo ser un guía incomparable para llevar a los demás a un más íntimo contacto con Dios.

Nos hallamos ahora ante esta su obra póstuma: la transcripción de sus charlas de «Ejercicios», que él mismo redactó cuidadosamente, pero que nunca dio a la imprenta. Y la verdad es que no sabemos por qué no quiso hacerlo ni lo que habría pensado de nuestra atrevida decisión de publicarlas. Pero lo que es innegable es que muchas personas se sentirán dichosas de poder disponer de ellas.

El texto ha sido reproducido tal como Tony lo dejó; únicamente se le ha puesto un título y se han hecho algunas mínimas correcciones formales, aunque no han faltado quienes sugirieran la conveniencia de una profunda revisión. La forma es, tal vez, un tanto anticuada, el contenido no es del todo «postconciliar», y el lenguaje es bastante sexista. Este último rasgo, que hoy sería considerado como imperdonable, puede justificarse por el hecho de que en estas charlas Tony se dirigía a jesuitas, aunque no hay demasiadas referencias a los Ejercicios Espirituales de San Ignacio, que es algo que él solía dejar para el trato personal con los ejercitantes. El tema de las charlas podría resumirse en los tres clásicos principios fundamentales: la oración, la penitencia y el amor de Cristo. Y el estilo es el típico de Tony: tremendamente vigoroso.

Tony fue siempre así: nunca trataba de imponerse, pero sí invitaba irresistiblemente a compartir su propia experiencia. Es verdad que en la última fase de su vida no estaba muy claro qué era lo que él experimentaba, ni resultaban demasiado convincentes sus intentos de formularlo. Pero nunca dejó de ser el mismo Tony de siempre. Este libro es, pues, una especie de «vuelta al hogar» que coincide con la celebración del V Centenario del nacimiento de Ignacio de Loyola en 1491; y es también una invitación a los jesuitas y a sus amigos de todo el mundo a profundizar en el legado espiritual del fundador de la Compañía de Jesús.

En este sentido, Tony de Mello y sus charlas de Ejercicios tienen un mensaje que ofrecer y que podemos ver expresado en una homilía que él mismo pronunció muchos años más tarde, concretamente el 31 de julio de 1983: «Necesitamos echar hondas raíces en Dios si queremos sintonizar con el Espíritu creador que llevamos dentro, si queremos tener la capacidad de amar y ser leales a esta Iglesia, en la que a veces encontraremos oposición y falta de comprensión. Y esto sólo puede hacerlo el hombre contemplativo. Sólo él sabrá cómo combinar la lealtad y la obediencia con la creatividad y la confrontación. Quiero pedir en esta Eucaristía que Dios y la Historia no puedan acusarnos de deficiencia alguna en este aspecto. Quiero pedir que San Ignacio pueda tener motivos para sentirse orgulloso de nosotros...»

Parmananda R. Divarkar, S.J.
Bombay, 2 de Junio de 1990

1
Recibir el Espíritu Santo

Quisiera situar estos Ejercicios en el contexto de la Iglesia y del mundo de hoy. Hemos venido aquí a pasar unos días en silencio, en oración y en retiro, precisamente en unos momentos en los que la Iglesia se halla en crisis y el mundo experimenta una apremiante necesidad de paz, de desarrollo y de justicia. ¿No estaremos dando motivos para que pueda acusársenos de «escapismo»? ¿Podemos permitirnos el lujo de retirarnos durante ocho días justamente cuando la casa está ardiendo y se requieren todos los brazos posibles para ayudar a apagar el fuego?

¿Somos «escapistas»?

Permitidme que siga con esa comparación. Es verdad que la casa está ardiendo. Pero, desdichadamente, muchos de nosotros (tal vez demasiados) no nos sentimos motivados para tratar de apagar el fuego y preferimos ocuparnos de nuestro pequeño mundo y de nuestras pequeñas vidas. Demasiados de nosotros estamos excesivamente ciegos para ver el fuego, porque sólo vemos lo que nos conviene. Y, aun suponiendo que tuviéramos la suficiente motivación y la suficiente vista, muchos de nosotros carecemos de la suficiente energía para combatir el fuego sin desmayar; carecemos de la suficiente sabiduría y capacidad de reflexión para dar con los mejores y más eficaces medios que nos permitan apagar el fuego. Pero es que, además de todo ello, hay demasiado egoísmo en nuestra manera de abordar la tarea; un egoísmo que nos hace interferir y estorbarnos unos a otros, a pesar de nuestras buenas intenciones.

En vista de ello, el hecho del retiro parece una especie de lujo y de huida. Pero es la clase de lujo que se permite un general que se aleja de la línea de fuego con el fin de tomarse tiempo para reflexionar y volver más tarde con un plan de combate más eficaz. Es la clase de huida que habrá de permitirnos reforzar nuestra motivación, ensanchar nuestros corazones, agudizar nuestra mirada y acumular energías para dedicarnos con mayor entusiasmo a la tarea que Dios nos ha confiado en el mundo. Dag Hammarskjöld, el místico que llegó a ser Secretario General de las Naciones Unidas, tenía muchísima razón cuando escribía en su Diario: «En nuestro tiempo, el camino hacia la santidad pasa necesariamente por el mundo de la acción». Nosotros contemplamos y oramos para re-crearnos a nosotros mismos y *actuar* de un modo más activo y eficaz para gloria de Dios y provecho del mundo.

La mayor necesidad de la Iglesia

La Iglesia está atravesando una época de caos y de crisis. Lo cual *no* es necesariamente algo malo. La crisis es una oportunidad para crecer, y el caos precede a la creación... con tal de que (y ésta es una importantísima condición) el Espíritu de Dios aletee sobre ella.

De lo que hoy tiene la Iglesia mayor necesidad no es de una nueva legislación, de una nueva teología, de unas nuevas estructuras ni de una nueva liturgia: todo eso, sin el Espíritu Santo, es como un cadáver sin alma. Lo que necesitamos urgentemente es que alguien nos arranque nuestro corazón de piedra y nos dé un corazón de carne; necesitamos que alguien nos infunda nuevo entusiasmo e inspiración, nuevo valor y vigor espiritual. Necesitamos perseverar en nuestra tarea sin desánimo ni cinismo de ninguna especie, con una nueva fe en el futuro y en los hombres por los que trabajamos. En otras palabras: necesitamos una nueva efusión del Espíritu Santo.

Por decirlo de un modo más concreto: necesitamos *hombres* llenos del Espíritu Santo, porque a través de los hombres actúa el Espíritu y viene a nosotros la Salvación. «Hubo un hombre, enviado por Dios, que se llamaba Juan», leemos al comienzo del evangelio. Un *hombre,* no un programa, ni un anteproyecto, ni un mensaje. «Un niño nos ha nacido, un hijo se nos ha dado»: Dios nos ha salvado no a través de un «plan de salvación», sino por medio de un hombre, Jesucristo, un hombre dotado del poder del Espíritu... El Espíritu Santo no desciende sobre los edificios, sino sobre los hombres; es a los hombres a los que unge, no sus proyectos; es en el alma y en el corazón de los hombres donde habita, no en las modernas máquinas.

Por eso, decir que lo que más urgentemente necesita la Iglesia es una nueva efusión del Espíritu es tanto como decir que necesita todo un ejército de hombres llenos de espíritu. Y ésa es la razón por la que estamos haciendo estos Ejercicios. Hemos venido aquí con la esperanza de poder ser hombres llenos de espíritu. Nos hemos retirado con la misma actitud y la misma expectación con que se encerraron los apóstoles en el cenáculo antes de Pentecostés.

Cómo obtener el Espíritu Santo

Nada hay más seguro que esto: el Espíritu Santo no es algo que pueda ser producido por nuestros propios esfuerzos. No puede ser «merecido». No hay absolutamente nada que nosotros podamos *hacer* para obtenerlo, porque es puro don del Padre.

Nos enfrentamos al mismo problema al que tuvieron que enfrentarse los apóstoles. Al igual que nosotros, también ellos tenían necesidad del Espíritu Santo para su apostolado, y el propio Jesús, instruyéndolos acerca del modo de recibirlo, les dijo: «Tenéis que *esperar* la promesa del Padre que oísteis de mí: que Juan, como sabéis, bautizó con agua, pero vosotros seréis bautizados con el Espíritu Santo dentro de pocos días... *Recibiréis* el poder del Espíritu Santo, que vendrá sobre vosotros, y seréis mis testigos en toda Judea y Samaría, y hasta los confines de la tierra» (Hch 1,4ss).

Jesús lo dijo: *Esperar*. Nosotros no podemos producir el Espíritu; lo único que podemos hacer es *esperar* a que venga. Y esto es algo que a nuestra pobre naturaleza humana le resulta muy difícil en este mundo moderno. No podemos esperar. No podemos parar quietos. Estamos excesivamente desasosegados, excesivamente impacientes. Tenemos que estar moviéndonos constantemente. Preferiríamos muchas horas de duro trabajo antes que soportar el sufrimiento de quedarnos quietos esperando algo que está fuera de nuestro control, algo que no sabemos en qué momento exacto ha de llegar. Pero resulta que debemos esperar; y por eso esperamos y esperamos... sin que nada suceda (o, mejor, sin que nuestra tosca visión espiritual sea capaz de percibir nada), y nos aburrimos de esperar y de rezar. Nos sentimos más a gusto «trabajando por Dios», y por eso volvemos enseguida a emborracharnos de actividad. Sin embargo, el Espíritu sólo le es dado a quienes esperan; a quienes, día tras día, abren sus corazones a Dios y a su Palabra en la oración; a quienes invierten horas y horas en lo que, para nuestras mentes obsesionadas por la productividad y el rendimiento, parece una simple pérdida de tiempo.

En los Hechos de los Apóstoles leemos: «Mientras [Jesús] estaba comiendo con ellos, les mandó que no se ausentasen de Jerusalén, sino que esperasen la promesa del Padre...» (1,4). «No abandonéis Jerusalen, viene a decirles. Resistid las ganas de hacer cosas hasta que os hayáis liberado de ese deseo compulsivo de actuar, de esa urgencia de comunicar a otros lo que vosotros mismos aún no habéis experimentado. Una vez que haya venido a vosotros el Espíritu, entonces daréis testimonio de mí en Jerusalén y hasta los confines de la tierra, pero no antes; de lo contrario, seréis falsos testigos o, en el mejor de los casos, personas emprendedoras, pero no apóstoles. Las personas emprendedoras son personas inseguras que desean compulsivamente convencer a los demás para estar ellas menos inseguras».

Jesús dijo: «Recibiréis el poder...» ¡«Recibir» es la palabra adecuada! Jesús no espera que nosotros produzcamos el poder, porque esa clase de poder no podemos producirlo, por mucho que lo intentemos. Sólo puede ser recibido. Recuerdo ahora el caso de una joven que me decía: «He asistido a docenas de seminarios de los que he sacado al menos un centenar de hermosas ideas. Pero lo que ahora necesito ya no son hermosas ideas, sino el *poder* de poner por obra al menos una de esas ideas». Por eso es por lo que unos Ejercicios no son como un seminario: no hay clases ni discusiones de grupo; no hay más que mucho silencio, mucha oración y mucha apertura a Dios.

Qué hacer concretamente. Una actitud

Para la oración de mañana por la mañana y, si lo deseáis, para todo el día, quisiera recomendaros una actitud y una práctica. La actitud sería la de una enorme esperanza. Dice San Juan de la Cruz que la persona recibe de Dios tanto cuanto espera de Él. Si esperamos poco, lo normal será que recibamos poco. Si esperamos mucho, recibiremos mucho. ¿Necesitáis que se produzca un milagro de la gracia en vuestra vida? Entonces esperad que se produzca el milagro. ¿Cuántos milagros habéis experimentado en vuestra vida? ¿Ninguno? Eso es porque no habéis esperado ningún milagro. Dios nunca nos falla cuando es mucho lo que esperamos de Él: puede que se haga desear o puede que acuda enseguida; incluso puede llegar inesperadamente, «como el ladrón en la noche». Pero lo que es seguro es que ha de llegar, si esperamos que lo haga.

Alguien ha dicho, con mucha razón, que *el* pecado contra el Espíritu Santo consiste en no creer que es capaz de transformar el mundo ni a uno mismo. Ésta es una clase de ateísmo mucho más peligrosa que la del hombre que dice: «Dios no existe»; porque, aun cuando se diga a sí mismo que cree en Dios, el que no cree en esa capacidad del Espíritu Santo se ha cegado y ha incurrido en un ateísmo práctico del que difícilmente es consciente. Lo que en realidad dice es: «Dios ya no puede cambiarme. Ya no tiene ni la voluntad ni el poder de transformarme, de resucitarme de entre los muertos. Lo sé, porque lo he intentado todo: he hecho Ejercicios infinidad de veces, he orado fervorosamente, he demostrado una enorme buena voluntad... y no ha sucedido nada de nada». A efectos prácticos, el Dios de este individuo es un Dios muerto, no el Dios que, al resucitar a Jesús de entre los muertos, nos mostró que nada hay imposible para Él. O, por emplear las bellísimas palabras de Pablo refiriéndose a Abraham, «el Dios que da la vida a los muertos y llama a las cosas que no son para que sean. Él [Abraham], esperando contra toda esperanza, creyó y fue hecho ''padre de muchas naciones'', según le había sido dicho: ''Así será tu posteridad''. No vaciló en su fe al considerar su cuerpo ya sin vigor (tenía unos cien años) y el seno de Sara, igualmente estéril; en presencia de la promesa divina, la incredulidad no le hizo vacilar, antes bien, su fe le llenó de fortaleza y dio gloria a Dios, persuadido de que poderoso es Dios para cumplir lo prometido» (Rom 4,17-21).

Qué hacer concretamente. Una práctica

Os sugiero que leáis con frecuencia Lucas 11,1-13. Leedlo una y otra vez y preguntaos cuál es vuestra respuesta a las palabras de Jesús: «¡cuánto más el Padre del cielo dará el Espíritu Santo a los que se lo pidan...!»

Esperad hasta que sintáis la suficiente fe en Jesús como para pedirle realmente, con absoluta confianza, el Espíritu

Santo. Y entonces... *¡pedid!* Pedid una y otra vez, pedid de todo corazón, pedid cada vez más, pedid incluso descaradamente, como el individuo aquel del Evangelio que insistía en llamar a medianoche a la puerta de su amigo, resistiéndose a aceptar un «no» por respuesta. Hay cosas que sólo podemos pedir a Dios con la condición «si es tu voluntad...» Pero en este punto no existe tal condición. El darnos el Espíritu *es* voluntad clarísima de Dios, su *promesa* inequívoca. No es su deseo de darnos el Espíritu lo que puede fallar, sino: a) nuestra fe en que quiere de veras darnos el Espíritu; y b) nuestra insistencia en pedirlo.

No dudéis, pues, en emplear el tiempo que haga falta en pedir y pedir incansablemente. Podéis decir algo así como: «Danos el Espíritu de Cristo, Señor, pues somos tus hijos»; o bien: «¡Ven, Espíritu Santo! ¡Ven, Espíritu Santo!» Cualquier jaculatoria de este tipo puede servir, con tal de que la digáis lentamente, con mucha atención, con absoluta seriedad... Repetidla cien veces, mil veces, diez mil veces...

Podéis también pedir sin palabras. Simplemente, mirando al cielo, o al sagrario, en silencio y en actitud de súplica. Si preferís estar a solas en vuestra habitación, podéis hacer esta súplica no sólo con los ojos, sino con todo el cuerpo: tal vez levantando las manos hacia el cielo o postrándoos una y otra vez sobre el suelo.

Tal vez eso no sea «meditación». Tal vez no os proporcione grandes intuiciones ni grandes «iluminaciones». Pero sí es *oración*. Y el Espíritu Santo se nos da en respuesta a una *oración* hecha con seriedad, no en respuesta a una meditación diestramente elaborada. Orad, y orad no sólo por vosotros mismos, sino por todos nosotros, por todo el grupo. No digáis únicamente: «dame»; decid también: «da*nos*».

Y si deseáis que vuestra oración obtenga el máximo de poder y de intensidad, haced lo que hicieron los apóstoles mientras esperaban al Espíritu antes de Pentecostés: orar con María. Los santos nos aseguran que no se sabe de nadie que, habiendo implorado su intercesión o acudido a su protección, haya visto desoídos sus ruegos. Podéis hacer vuestra esta experiencia de los santos recurriendo a María en todas vuestras necesidades; entonces lo sabréis, no porque lo digan los santos, sino por haberlo sentido y experimentado vosotros personalmente. Consagrad estos Ejercicios a María, la Madre de Jesús. Solicitad su bendición al comenzarlos... ¡y veréis qué diferencia!

He aquí, por último, unos cuantos salmos que pueden ayudaros mañana a expresar con palabras vuestra oración de petición del Espíritu: *Salmo 4:* Sólo la luz de tu rostro puede darnos la felicidad. *Salmo 6:* Y Tú, Señor... ¿hasta cuándo? *Salmo 13 [12]:* ¿Hasta cuándo me ocultarás tu Rostro? *Salmo 16 [15]:* En Ti solo está mi refugio. *Salmo 24 [23]:* ¡Que entre el rey de la gloria! *Salmo 27 [26]:* Una cosa he pedido al Señor, una cosa estoy buscando: habitar en la casa del Señor... Es tu Rostro, Señor, lo que busco. *Salmo 38 [37]:* Señor, Tú conoces mis anhelos y no se te ocultan mis gemidos. *Salmo 42 [41]:* Mi alma tiene sed de Dios... Mis lágrimas son mi pan día y noche. *Salmo 43 [42]:* ¿Por qué desfalleces, alma mía? ¡Espera en Dios¡ *Salmo 63 [62]:* En pos de Ti languidece mi carne cual tierra seca, agostada y sin agua. *Salmo 130 [129]:* Espera mi alma al Señor más que el centinela la aurora. *Salmo 137 [136]:* Junto a los ríos de Babilonia nos sentábamos y llorábamos acordándonos de Sión.

Tal vez queráis deteneros en una u otra línea de estos salmos y abrir vuestro corazón a Dios con las palabras que el propio Dios nos ha dado para dirigirnos a Él. Si así lo hacéis, esas palabras tendrán el poder de infundiros la fe y de obteneros lo que pedís.

2
Los «Ejercicios» de los apóstoles

Quisiera dar comienzo a esta charla con una pregunta que posiblemente os estéis haciendo algunos de vosotros. Ya no es costumbre en algunos sectores hacer Ejercicios en silencio... e incluso hacer Ejercicios en absoluto. A algunos les parece más apropiado a nuestras necesidades una especie de seminario o de curso de actualización teológica o bíblica. Y arguyen que nuestra vocación es la de apóstoles, no la de monjes contemplativos, y que esa nuestra vocación nos exige *actuar,* no estar quietos; *hablar,* no estar en silencio. Por eso, quizá, es comprensible que algunos se pregunten: «¿Qué sentido tiene para un apóstol hacer Ejercicios?»

Y mi respuesta es la siguiente: «Los Ejercicios son, posiblemente, lo mejor que, desde un punto de vista *apostólico,* puede hacer un apóstol. Paradójicamente, no hay nada más necesario para el apóstol que retirarse al desierto, dedicar largas horas a *escuchar,* y no sólo a hablar; exponerse a la acción de Dios y cargar sus ''baterías'' espirituales para poder ofrecer luz a los hombres. En la oración, el apóstol se presenta ante Dios para que éste pueda darle lo que desea que el apóstol dé a los demás».

Volver a la Fuente

Hoy resulta especialmente necesario volver a las fuentes en orden a la renovación. El Vaticano II nos ha urgido insistentemente a remontarnos a nuestras raíces, a nuestras constituciones y a los evangelios para descubrir allí la vida y el espíritu que nos son propios y que han de ser reinterpretados y adaptados a los tiempos modernos. Pero la vuelta a las fuentes no es, ante todo, una vuelta a los documentos. Sería más exacto hablar de una vuelta a nuestra Fuente, en singular, porque no hay más que una fuente de nuestra vida de cristianos y de sacerdotes, y esa fuente es una persona viva: Jesucristo. Lo cual no supone una vuelta al pasado, porque Jesucristo es una persona que vive y con la que podemos encontrarnos hoy. Ésta es la Fuente con la que debemos dar y de la que hemos de sacar toda nuestra fuerza e inspiración. Y esto es lo que los Ejercicios pretenden darnos: una oportunidad, no de leer libros ni de escuchar ideas nuevas, sino de encontrarnos con Jesucristo, si es que nunca lo hemos hecho; y, si ya nos hemos encontrado con él, los Ejercicios nos dan la oportunidad de profundizar nuestra relación con él.

El apóstol: un hombre que ama al Maestro

Lo que Jesucristo espera de vosotros en estos días es que le consagréis *a él* todo vuestro tiempo, toda vuestra atención y todo vuestro amor; que lo derrochéis todo ello con él, como hizo María, la hermana de Lázaro, con aquel precioso ungüento. Porque a los pobres los tenemos con nosotros durante todo el año; pero Jesús quiere ser conocido y amado personalmente, además del amor que podamos darle en nuestro prójimo y en los pobres. «Simón, hijo de Juan, ¿me amas más que éstos?» «Sí, Señor, tú sabes que te amo...» «Apacienta mis corderos...» Independientemente del esfuerzo que pueda exigirle a un apóstol o a un pastor la obra de su Maestro, por muy importante que sea la tarea que se le ha confiado, su primer y principal deber es amar personalmente al Maestro. Antes de confiar a Pedro su función pastoral, Jesús le sometió a prueba. En el Evangelio le hace a Pedro dos preguntas, y las dos tienen que ver con su propia persona, no con el «rebaño». La primera pregunta es: «¿Quién dices que soy yo?» Y la segunda: «¿Me amas?»

Éstas son las dos preguntas que han de resonar en nuestros corazones durante estos días, en los que tratamos de hacernos más «apostólicos». Hemos de oír cómo Jesús nos dice a cada uno de nosotros: «Luis, Carlos, Manuel... ¿quién dices *tú* que soy yo? Y no me respondas: ''Tú eres el Cristo, el Hijo de Dios vivo''. Ésa es la fórmula que empleó Pedro. Pero ¿qué fórmula emplearías tú para describir qué o quién soy yo *para ti*? Luis, Carlos, Manuel... ¿me amas más que éstos?» Si deseamos ser apóstoles y pastores, es vital para nosotros profundizar en estos días en nuestro amor a Jesús, de modo que podamos decir confiadamente: «Sí, Señor, tú sabes que te amo».

El apóstol: un hombre que ha visto a Cristo

En la Iglesia primitiva, para reconocerle a alguien su condición de apóstol se le exigía que hubiera visto al Señor resucitado. Ésta es, en parte, la razón por la que a Pablo le resultó tan difícil que se le reconociera su carisma apostólico. Pablo insiste en que es un verdadero apóstol, en nada inferior a los Doce ni al resto de los apóstoles, porque él también ha visto al Señor resucitado. «¿No soy yo apóstol?», pregunta a los corintios; «¿acaso no he visto yo a Jesús, Señor nuestro?» (1 Cor 9,1).

E insiste también en que ha recibido su evangelio directamente del Señor, aunque en realidad predicara una doctrina que había recibido de otros («Os transmití, en primer lugar, lo que a mi vez recibí: que Cristo murió por nuestros pecados, según las Escrituras; que fue sepultado y que resucitó al tercer día, según las Escrituras: que se apareció a Cefas y, luego, a los Doce...»: 1 Cor 15,3-5). Había recibido de otros los *hechos* históricos; pero su *evangelio* y su *encargo* de predicar el evangelio no los recibió de nadie más que del propio Jesús. No de la Iglesia, ni de la comunidad cristiana, ni de ninguna autoridad eclesiástica, sino del propio Jesús en persona. «Porque yo recibí del Señor lo que os he transmitido: que el Señor

Jesús, la noche en que fue entregado, tomó pan y, después de dar gracias, lo partió y dijo: "Éste es mi cuerpo que se da por vosotros; haced esto en memoria mía..."» (1 Cor 11,23-24). Y Pablo no tendrá empacho en hablar de «mi evangelio» (Rom 2,16). ¿Quién de nosotros se atrevería a emplear una expresión semejante? ¿Quién de nosotros tendría la temeridad de decir lo que Pablo dice a los gálatas: «Habéis de saber, hermanos, que el evangelio anunciado por mí no es cosa de hombres, pues yo no lo recibí ni aprendí de hombre alguno, sino por revelación de Jesucristo... Mas, cuando Aquel que me separó desde el seno de mi madre y me llamó por su gracia, tuvo a bien revelar en mí a su Hijo para que le anunciase entre los gentiles, al punto, sin pedir consejo ni a la carne ni a la sangre, sin subir a Jerusalén, donde los apóstoles anteriores a mí, me fui a Arabia, de donde nuevamente volví a Damasco. Luego, de allí a tres años, subí a Jerusalén para conocer a Cefas y permanecí quince días en su compañía. Y no vi a ningún otro apóstol, excepto a Santiago, el hermano del Señor. Y, en lo que os escribo, Dios me es testigo de que no miento» (Gal 1,11-20)?

¿No es precisamente así como debe ser? Un apóstol es un testigo, y debe dar testimonio de lo que él mismo ha visto y oído, si quiere que su mensaje sea creíble; es lo mismo que ocurre (y en un grado aún más elevado, si cabe) con el testigo que declara en un juicio, que, para que su testimonio sea convincente, debe atestiguar lo que él mismo ha presenciado, no lo que sabe de oídas. Esto queda perfectamente subrayado en los dos relatos que hace Pablo de su visión del Señor resucitado y de su conversión. En Hch 22,12-15, dice Pablo: «Un tal Ananías, hombre piadoso según la Ley, bien acreditado por todos los judíos que habitaban allí, vino a verme y, presentándose ante mí, me dijo: "Saúl, hermano, recobra la vista". Y en aquel momento le pude ver. Y él me dijo: "El Dios de nuestros padres te ha destinado para que conozcas su voluntad, *veas al Justo y escuches la voz de sus labios, pues le has de ser testigo ante los hombres de lo que has visto y oído"»*. Y en Hch 26,15-16, es el propio Jesús el que, a la pregunta de Pablo: «¿Quién eres, Señor?», le responde: «Yo soy Jesús, a quien tú persigues. Pero levántate y ponte en pie, *pues me he aparcido a ti para constituirte servidor y testigo tanto de las cosas que de mí has visto como de las que te manifestaré».*

Ésta es también la clase de lenguaje que empleaban los demás apóstoles. Dice Juan: «Lo que existía desde el principio, lo que hemos oído, lo que hemos visto con nuestros ojos, lo que contemplamos y tocaron nuestras manos acerca de la Palabra de vida (pues la vida se manifestó, y nosotros la hemos visto y damos testimonio y os anunciamos la vida eterna, que estaba con el Padre y que se nos manifestó), lo que hemos visto y oído os lo anunciamos, para que también vosotros estéis en comunión con nosotros. Y nosotros estamos en comunión con el Padre y con su Hijo, Jesucristo. Os escribimos esto para que nuestro gozo sea completo» (1 Jn 1,1-4). Y Pedro, por su parte, dice: «Os hemos dado a conocer el poder y la Venida de nuestro Señor Jesucristo, no siguiendo fábulas ingeniosas, sino después de haber visto con nuestros propios ojos su majestad. Porque él recibió de Dios Padre honor y gloria cuando la sublime Gloria le dirigió esta voz: "Éste es mi Hijo muy amado, en quien me complazco". Nosotros mismos escuchamos esta voz, venida del cielo, estando con él en el monte santo» (2 Pe 1,16-17).

Veinte siglos después de la muerte y la resurrección de Jesús, ésta sigue siendo la prueba de que nos hallamos ante un verdadero apóstol y un verdadero testigo, lo mismo que veinte años tan sólo después de que Jesús muriera y resucitara. Todo auténtico apóstol, a lo largo de la historia de la Iglesia, ha tenido que salir airoso de esta prueba. De hecho, algunos de ellos, como los Padres y los Doctores de la Iglesia, siguen alimentando a ésta con su doctrina e influyendo en su vida, precisamente porque fueron hombres que estuvieron en contacto directo con Jesucristo, hombres tan contemplativos como pudieron serlo Pablo, Pedro y Juan. Si ser contemplativo significa hallarse en viva y constante comunión con Jesús, el Señor resucitado, entonces ¿cómo se puede ser apóstol sin ser contemplativo? ¿Y cómo se puede ser contemplativo sin dedicarle mucho tiempo a la conversación personal e íntima con Cristo? Por eso estamos haciendo Ejercicios y no un seminario ni un curso de actualización teológica.

El apóstol: un hombre del Espíritu

En Hch 19,1ss. leemos que, cuando Pablo fue a Éfeso, se encontró con un grupo de conversos que jamás habían oído hablar del Espíritu Santo. Al enterarse de ello, Pablo les impuso las manos y les comunicó el Espíritu. En definitiva, ésta es la tarea fundamental del apóstol: comunicar a otros el Espíritu Santo. Por eso es por lo que les fue dado a los apóstoles antes que a nadie el Espíritu: porque ésta debía ser su «especialidad», su especial aportación al mundo. Tenían que experimentar primeramente ellos en sus corazones los efectos transformadores del Espíritu, para luego poder comunicar a otros ese mismo poder transformador.

En el capítulo 8 del mismo libro de los Hechos se nos dice que, cuando los apóstoles se enteraron de que Samaría había recibido la Palabra de Dios, enviaron a Pedro y a Juan para comunicar el Espíritu Santo a los recién convertidos. Lo cual puede parecer un desaire para el diácono Felipe, que era el que había evangelizado a Samaría. No es que los apóstoles fueran los únicos que podían comunicar el Espíritu a otros. Eso es algo que todo cristiano debería poder hacer, y es probable que Felipe lo hubiera hecho perfectamente. Pero, de algún modo, esta función parecía más propia de los apóstoles. Por eso van Pedro y Juan a Samaría. Y se nos dice que «oraron por ellos para que recibieran el Espíritu Santo, pues todavía no había descendido sobre ninguno de ellos... Entonces [Pedro y Juan] les imponían las manos y recibían el Espíritu Santo» (8,15-17).

Obsérvese un detalle importante: los apóstoles *oraron* antes de imponer las manos a aquellos buenos samaritanos. Ante todo, era gracias al poder de su oración como los apóstoles comunicaban el Espíritu. Ellos mismos, por su parte, sólo lo habían recibido tras haber orado intensamente antes de Pentecostés. ¿Había algo más natural que el que fuera ésta la forma en que ellos se lo comunicaran a otros? ¿A quién puede extrañar el que fueran sumamente reacios a meterse de lleno en una actividad que les habría distraído indebidamente de su principal tarea? En Hechos 6, les oímos decir: «No parece bien que nosotros abandonemos la Palabra de Dios por servir a las mesas. Por tanto, hermanos, buscad de entre vosotros a siete hombres de buena fama... y los nombraremos para este cargo, mientras que nosotros nos dedicaremos a la oración y al ministerio de la Palabra» (2-4).

Vivimos en la era del «sacerdote con guión»: el sacerdote-obrero, el sacerdote-científico, el sacerdote-artista... Una era en la que los apóstoles se preocupan de tener tal o cual profesión como una ayuda para su apostolado. Y eso está muy bien, con tal de que conserven plenamente vivo lo más característico de su vocación de apóstoles: la capacidad de comunicar a otros el Espíritu Santo. Éste es el criterio por el que yo juzgaría el éxito de nuestros planes de formación. Al término de sus años de formación, yo preguntaría al joven sacerdote que va a dar comienzo a su apostolado: «¿Tienes realmente el Espíritu Santo? ¿Sientes la confianza de que puedes comunicárselo a los demás con la gracia de Dios?» Y, si su respuesta es «No», entonces ¿de qué le valen toda su formación, toda su filosofía y su teología y toda la preparación que haya podido adquirir en idiomas, en homilética, en liturgia, en Escritura, en ciencias profanas o en lo que sea? ¿De qué le vale a un médico ser experto en literatura o en cualquier otra cosa, si no sabe medicina?

Nuestro joven sacerdote podrá ser un estupendo teólogo y podrá incluso exponer su teología a los demás de un modo sumamente atractivo; pero de lo que el mundo está hambriento no es de teología, sino de Dios. La Iglesia primitiva no ofrecía a la gente una teología del Espíritu Santo; la teología llegaría mucho después. Lo primero que ofrecía era el Espíritu Santo mismo, la *experiencia* de Su poder. El que tiene hambre necesita comida de verdad, no un precioso «bodegón», por muy artístico que sea. Y, desde luego, no quiere palabras en lugar de comida. ¿Están nuestros programas de formación principal y esencialmente pensados para «equipar» a nuestros sacerdotes no sólo con palabras y conceptos, sino con el Espíritu Santo? ¿Es éste el motivo fundamental que subyace a todos los cambios que estamos introduciendo en su formación? ¿Estamos relegando de veras a un segundo plano todo lo demás?

¿Qué significa ser capaz de dar a otros el Espíritu Santo? Significa muchas cosas; pero, reduciéndolo a lo esencial, significa lo siguiente: tener la experiencia de estar transformando los corazones y las vidas de los demás con el poder de la propia palabra y con el poder de la propia oración. Y, de ambas cosas, la más importante, con mucho, es la capacidad de transformar a los demás con el poder de la oración. Éste es el poder del que fundamentalmente hizo uso Pablo para el éxito y la eficacia de su apostolado. Su palabra hablada no parece haber producido demasiado efecto en la gente y, desde luego, acepta de buen grado la acusación de que es objeto por parte de algunos corintios en el sentido de que era un deficiente orador. Pero el poder de su oración... ¡lo usaba constantemente! Apenas hay una carta en la que no diga que reza sin cesar por sus «conversos». A los efesios, por ejemplo, les dice: «Por eso doblo mis rodillas ante el Padre, de quien toma nombre toda familia en el cielo y en la tierra, para que os conceda, según la riqueza de su gloria, que seáis vigorosamente fortalecidos por la acción de su Espíritu en el hombre interior, que Cristo habite por la fe en vuestros corazones, para que, arraigados y cimentados en el amor, podáis comprender con todos los santos cuál es la anchura y la longitud, la altura y la profundidad, y conocer el amor de Cristo, que excede a todo conocimiento, para que os vayáis llenando hasta la total Plenitud de Dios» (Ef 3,14-19). Lo que aquí intenta Pablo es comunicar a sus cristianos unos dones espirituales (fuerza, poder, fe, amor) que nadie puede comunicar a otro con meras palabras (porque es algo que va más allá de las palabras e incluso más allá de todo conocimiento). Y así, en su condición de verdadero apóstol, vemos cómo trata de comunicar dichos dones valiéndose del poder de la oración de intercesión. Y es que no hay otro modo de hacerlo.

He aquí, pues, otra razón por la que un apóstol se retira a la soledad: porque necesita «cargarse» de Espíritu Santo. El Espíritu Santo le es dado a quienes velan, oran y esperan pacientemente, a quienes tienen el coraje de alejarse de todo y luchar a brazo partido, en la soledad y el silencio, consigo mismos y con Dios. No es de extrañar, por tanto, que todos los grandes profetas y hasta el propio Jesús se retiraran al desierto para vivir largos períodos de silencio, oración, ayuno y lucha con las fuerzas del mal. El desierto es el crisol en que se forjan el apóstol y el profeta. El desierto, no la plaza pública. La plaza pública es el lugar en el que actúa el apóstol. El desierto es el lugar en el que se forma, se «templa» y recibe su encargo y su mensaje para el mundo, «su» evangelio.

El apóstol: un hombre de discernimiento

Otra razón por la que el apóstol necesita retirarse es porque el retiro enseña a discernir y ayuda a crear y a profundizar en nuestros corazones ese silencio en el que se hace audible la voz de Dios. ¿Y acaso hay alguien que tenga mayor necesidad que el apóstol de escuchar constantemente la voz de Dios? El apóstol tiene que escuchar para poder saber qué es lo que tiene que decir a los demás. Y, lo que es aún más importante, tiene que escuchar para poder saber adónde ir, qué hacer y cuándo, a quién y cómo hablar. ¿De qué otro modo puede saber cuál es la voluntad de Dios?

El apóstol es un hombre que es enviado en misión. Por eso es de vital importancia que se mantenga constantemente en contacto con el «cuartel general». Una gran parte de lo que llamamos nuestra «actividad apostólica» no es más que un desmedido ajetreo que encubre el hecho de que lo único que hacemos es nuestra propia voluntad. No nos hemos tomado el tiempo necesario para purificar nuestros corazones de prejuicios, de apegos excesivos o de aversiones desordenadas, de forma que podamos ver con ojos despejados la voluntad de Dios. No basta con estar llenos de entusiasmo y de buena voluntad. Los fariseos, dice Pablo en el capítulo 10 de la carta a los Romanos, sentían celo por la gloria de Dios, pero el suyo era un celo equivocado y, por eso, lejos de hacer el bien, hacían verdadero daño. Recuerdo que un sacerdote me decía en cierta ocasión: «Ahora que he vuelto a orar y a ver las cosas a la luz del evangelio, me entristezco al recordar los muchos años que he trabajado por Cristo; y me pregunto si realmente he hecho algún trabajo por Cristo o si, por el contrario, le he dado a él más trabajo para deshacer el daño que yo había hecho». ¡Es una pena que tardara tantos años en darse cuenta, que le llevara tanto tiempo empezar a escuchar la voz de Dios en su interior y se hubiera lanzado tan pronto a la acción...!

Cuando nos decidimos a «estirar las orejas» para escuchar la voz de Dios, descubrimos la multitud de sonidos que se agolpan en nuestros oídos, los más ruidosos de los cuales son las insistentes exigencias de nuestros deseos egoístas, y los más peligrosos (aunque no necesariamente los más estrepitosos) son los susurros del ángel de la oscuridad (el «príncipe de este mundo», como lo llamó Cristo), que trata de engatusarnos para que realicemos obras que parecen dar gloria a Dios, porque se nos muestra como ángel de luz (2 Cor 11,14), pero cuyos dictados, si es que los seguimos, producen verdaderos estragos en el reino de Cristo.

Por eso es por lo que el apóstol necesita ser un hombre de discernimiento. Su visión ha de ser clara, y su oído agudo, si quiere discernir la voluntad de Dios de sus propios impulsos, los dictados del Espíritu Santo de los del mal espíritu. En el libro de los Hechos vemos cómo los apóstoles están en constante sintonía con esa voz del Espíritu en su interior, precisamente porque eran hombres de oración. En el capítulo 10 se le revela a Pedro que ha de dirigirse a los gentiles, y su primera reacción consiste en horrorizarse piadosamente;

pero nos dice la Escritura que Pedro se hallaba en oración en aquel momento, y por eso pudo superar sus prejuicios religiosos y abrirse a tan inesperado proyecto divino. Si no hubiera sido un hombre de oración y si aquella tarde, en lugar de subir a orar a la terraza, se hubiera enfrascado en la acción, es muy posible que hubiera hecho mucho bien por la causa de Cristo, pero ¿habría sido capaz de propiciar con tanto éxito la apertura de la Iglesia al mundo entero? Sólo tenemos que leer sus palabras en Hch 11 y Hch 15 para apreciar lo que acabamos de decir. El tiempo que, aparentemente, «malgastó» en tratar con Dios y en descubrir su voluntad fue un tiempo que en realidad produjo ricos dividendos.

No puedo dejar de sentir envidia al pensar en aquellos hombres del libro de los Hechos, tan absolutamente sometidos al influjo del Espíritu Santo en toda su labor apostólica. El evangelista Felipe es enviado por el Espíritu al desierto camino que conduce a Gaza. ¿Quién, en su sano juicio, habría pensado ir a aquella desértica franja de tierra con la idea de cosechar frutos apostólicos? Esto no habría podido verlo Felipe a base de planificaciones, «memorandums», estadísticas y estudios sociológicos. Sólo el Espíritu puede indicarnos cosas aparentemente tan absurdas, con tal de que no nos dejemos aturdir por el ruido del mundo y por nuestros deseos egoístas.

Fijémonos en ese maravilloso pasaje de Hch 16 que debería suscitar la envidia de cualquier apóstol que se esfuerce por descubrir la voluntad de Dios para sí mismo y para su trabajo: «Atravesaron Frigia y la región de Galacia, pues el Espíritu Santo les había impedido predicar la Palabra en Asia. Estando ya cerca de Misia, intentaron dirigirse a Bitinia, pero no se lo consintió el Espíritu de Jesús. Atravesaron, pues, Misia, y bajaron a Tróada. Por la noche, Pablo tuvo una visión: un macedonio estaba de pie suplicándole: ''Pasa a Macedonia y ayúdanos''. En cuanto tuvo la visión, inmediatamente intentamos pasar a Macedonia, persuadidos de que Dios nos había llamado para evangelizarlos» (Hch 16,6-10).

Pablo estaba ciertamente en continuo contacto con el «cuartel general». Por 2 Cor 12, sabemos que era un contemplativo, un excepcional místico. Pero es obvio que la oración no era para él una huida, sino un modo de saber adónde ir, cuánto tiempo permanecer allí, qué hacer y qué decir. Fue el trato vivo y amoroso con el Resucitado el que le proporcionó a Pablo no sólo la orientación que precisaba, sino también el ánimo y la fortaleza necesarios. Después de su conversión, hallándose en oración en el Templo de Jerusalén, de pronto cayó en trance y, según sus propias palabras, «le vi a él que me decía: ''Date prisa y marcha inmediatamente de Jerusalén, pues no recibirán tu testimonio acerca de mí''. Yo respondí: ''Señor, ellos saben que yo andaba por las sinagogas encarcelando y azotando a los que creían en ti; y cuando se derramó la sangre de tu testigo Esteban, yo también me hallaba presente y estaba de acuerdo con los que lo mataban, y guardaba sus vestidos''. Y me dijo: ''Marcha, porque yo te enviaré lejos, a los gentiles''» (Hch 22,17-22). Hallándose en Corinto, y cuando las cosas se ponían feas, volvió a aparecérsele el Señor Resucitado para darle ánimos: «El Señor dijo a Pablo durante la noche en una visión: ''No tengas miedo, sigue hablando y no calles; porque yo estoy contigo y nadie te pondrá la mano encima para hacerte mal, pues tengo yo un pueblo numeroso en esta ciudad''» (Hch 18,9-10). Y del mismo modo, cuando fue arrestado por última vez, el mismo Señor acude a darle ánimos y a decirle lo que le espera: «A la noche siguiente se le apareció el Señor y le dijo: ''¡Animo!, pues como has dado testimonio de mí en Jerusalén, así debes darlo también en Roma''» (Hch 23,11).

Cómo adquirir las características del apóstol

Del mismo modo que no pudimos hacer nada en absoluto para adquirir o merecer nuestra vocación apostólica, que fue puro don del Señor, así tampoco podemos hacer absolutamente nada para merecer o adquirir todas esas cosas que más caracterizan al apóstol y que también son puro don: el encuentro con Cristo, la capacidad de impartir el Espíritu y el discernimiento de la voluntad de Dios. Ahora bien, sí hay algo que podemos hacer para conseguir del Señor dichos dones: a) desearlos ardientemente; b) pedirlos constantemente.

Por lo general, al hombre de los grandes deseos Cristo se le muestra, mientras que el Espíritu Santo le es dado. El día en que brote en vuestro corazón un ardiente deseo de Dios, ese día alegraos, porque no pasará mucho tiempo antes de que se cumpla vuestro deseo. Desgraciadamente, sin embargo, son muchos los que ni siquiera tienen dicho deseo, porque han perdido su hambre de Dios. Si éste es tu caso, no te desanimes. ¿Deseas, al menos, sentir ese hambre de Dios? ¡Perfecto! Lo que tienes que hacer, entonces, es recurrir al segundo de los dos medios que mencionábamos hace un momento: insistir en la oración de petición. Debes pedir la gracia del encuentro con Cristo (que es tu derecho y tu privilegio de apóstol); debes pedir la efusión del Espíritu; debes pedir que te sea devuelta el hambre de Dios. Ciertamente, lo que se te pide no es nada especialmente difícil. Limítate, simplemente, a sentarte como un mendigo en presencia del Señor y no dejes de agitar tu escudilla hasta que esté llena. Y niégate a aceptar un «No» o un «Más tarde» por respuesta. Al Señor le gusta esta clase de amorosa insistencia, sobre todo cuando lo que insistimos en pedirle es el don de sí mismo. Imitad a la mujer cananea de Mt 15, que no se rindió ni siquiera ante el evidente desaire de que fue objeto por parte del Señor, por lo cual éste mostró su amor y su admiración hacia ella. O imitad al centurión de Mt 9: «Una palabra tuya, Señor, es suficiente... No tienes más que decir una simple palabra...» Recordad cuán favorablemente acogió también el Señor esta oración.

Así pues, tratad de practicar mañana esta clase de oración. Escoged una determinada frase o jaculatoria y repetidla incesantemente: «Señor, enséñame a orar», o «Señor, te deseo con toda mi alma». Podéis también emplear las palabras del salmista: «Mi alma tiene sed de ti»; «Como jadea la cierva tras las corrientes de agua, así jadea mi alma en pos de ti, mi Dios».

Puede que, al cabo de un rato, os sintáis cansados o aburridos. Insistid en la oración, a pesar de todo. Ni una sola palabra de petición cae en saco roto. El Señor escucha cada una de las palabras de súplica que brotan de nuestros labios. Si, para robustecer vuestra fe, él se retrasa en llegar, es seguro que no ha de demorarse demasiado. Y entonces conoceréis la apasionante experiencia de descubrir el inmenso poder de la oración, si es que no lo habéis descubierto ya.

Pero hay otra cosa que también podéis hacer, especialmente si tenéis la sensación de que el vuestro es un «caso desesperado»: podéis hacer que nuestra Señora diga una palabra por vosotros. Recordad lo que ella fue capaz de conseguir en las bodas de Caná. Si hacéis esto, conoceréis otra extraordinaria experiencia (si es que no la habéis conocido aún): que la influencia que tiene María en Cristo es enorme y que su intercesión es para el apóstol una fuente increíble de fuerza, paz y consuelo.

3
Disposición
para iniciar los Ejercicios

¿Por qué hacer Ejercicios?

Cada uno de vosotros ha venido aquí con unas determinadas expectativas que sería muy útil que pudiéramos explicitar. Yo he participado a veces en encuentros en los que lo primero que se invitaba a hacer a los participantes era a manifestar sus expectativas y sus temores: ¿qué es lo que teméis de este encuentro? Imaginad el momento en que marcháis de aquí, una vez acabado el encuentro: ¿qué os gustaría haber sacado en limpio de él? En otras palabras, ¿qué esperáis, concretamente, de este encuentro? El saberlo es muy útil para clarificar los objetivos y obtener el mayor provecho posible de la experiencia del encuentro.

Os invito a que hagáis esto en vuestra oración, bien sea esta noche, antes de ir a la cama, o en la oración de mañana a primera hora. Preguntaos: ¿Me inspira algún tipo de temores el hacer estos Ejercicios? ¿Cuáles? ¿Vengo con algún tipo de expectativas? ¿Cuáles?

Las expectativas pueden ser de lo más variado: algunos desearán profundizar en su vida de oración; otros pretenderán superar algún defecto o liberarse de algún temor o «afección desordenada»; y otros querrán descubrir qué es lo que Dios quiere para ellos. Una vez que hayas hecho frente a tus temores y concretado tus expectativas, tal vez quieras hablar de ello con tu director espiritual o conmigo mismo para tratar de ver juntos lo que deberías hacer en orden a conseguir tus objetivos durante estos días.

Hay algo que puede legítimamente esperarse de los Ejercicios: la experiencia de Dios, el encuentro intenso y profundo con Él. Porque se trata de unos Ejercicios, no de un seminario. Se trata de proporcionaros, no teología, ni siquiera «espiritualidad», sino una experiencia: la experiencia de Dios, la experiencia de enamorarse de Dios y la experiencia de sentirse profundamente amado por Él. Y esta clase de experiencia ha de producir en vuestro corazón lo que no es capaz de producir toda la teología ni todo el saber del mundo, por muy buenas y útiles que estas cosas puedan ser en su debido momento y lugar.

Quienes pretendemos ser apóstoles tenemos una especial necesidad de experimentar esto en nuestras vidas si queremos ofrecer a los demás, no simples fórmulas acerca de Dios, sino a Dios mismo. ¿Cómo vamos a facilitar a otros el acceso a un Dios o a un Jesucristo con el que nunca nos hemos encontrado? Todos sabemos que el mundo está hoy harto de palabras. El mercado está abarrotado de libros y más libros, de ideas y más ideas, de palabrería y más palabrería. Sin embargo, lo que el mundo anda buscando es *acción* y *experiencia*. Ya no tiene paciencia para soportar más discursos acerca de Dios. Lo que el mundo moderno dice es: «Muéstrame dónde está ese Dios del que hablas. Dime cómo puedo encontrarlo en la vida. Porque, si no puedo encontrarlo, ¿de qué me vale? Y si puedo, ¿cómo y dónde lo encontraré?» El mundo moderno está haciéndose cada vez más ateo. ¿Cuál es la prueba de que existe Dios? Uno de nuestros libros hindúes lo expresa perfectamente: «La mejor prueba de la existencia de Dios es la unión con él». Si podemos ofrecer a los demás la experiencia de la unión con Dios y la paz y el gozo que dicha experiencia proporciona, nos resultará mucho menos difícil llevar a los ateos a Dios.

El mundo tiene hambre de Dios

Antes de abandonar la Iglesia, Charles Davis publicó en la revista *America* un artículo que, leído ahora, resulta estremecedor. Lo que venía a decir era, más o menos, lo siguiente: Después del Vaticano II, experimenté un verdadero entusiasmo por las perspectivas de renovación, modernización y cambio de estructuras que se le ofrecían a la Iglesia. Y me dediqué a presentar ante nutridos auditorios la nueva y maravillosa teología del Vaticano II, que encerraba tan rico potencial de «aggiornamento» y de reforma. Pero, poco a poco, empecé a comprender que todos aquellos rostros que me miraban no buscaban una nueva teología, sino que buscaban a Dios. No veían en mí a un teólogo con un mensaje que ofrecer, sino a un sacerdote que fuera capaz de darles a Dios. Evidentemente, tenían hambre de Dios. Entonces miré en mi interior y descubrí, absolutamente desolado, que yo no podía darles a ese Dios, porque no lo tenía. Lo que tenía era un enorme vacío en mi corazón... Y, cuanto más me ocupaba en cosas como la reforma y la modernización de las estructuras de la Iglesia, o la renovación litúrgica, los estudios bíblicos y los métodos pastorales, más fácil me resultaba escapar de Dios y del vacío que había en mi corazón.

Esto es, aproximadamente, lo que en esencia decía Charles Davis en aquel artículo. ¿Cuántos de nosotros, los sacerdotes, tenemos que reconocernos en lo que con tanta sinceridad afirma Davis de sí mismo? Si el sacerdote se dirige al mundo moderno dotado de todos los talentos imaginables, pero falto de la experiencia directa y personal de Dios, el mundo se negará, sencillamente, a tomar en serio sus discursos sobre Dios y lo despreciará como sacerdote, por mucho que pueda valorarlo como educador, como filósofo o como científico.

Lo que el mundo moderno y, de un modo especial, las generaciones jóvenes nos dicen hoy («No habléis tanto; demostradlo») es lo que la India ha estado diciéndonos durante siglos. Recuerdo que, hace años, el santo P. Abhishiktananda me contaba que un santón hindú al que conoció en el sur de la India le había dicho: «Vosotros, los misioneros, jamás conseguiréis nada si no venís a nosotros como gurus». El guru es un hombre que no se limita a hablar de lo que ha leído en los libros, sino que habla desde la certeza de su propia experiencia religiosa y guía a sus discípulos con mano segura, porque les lleva a Dios por unos caminos que él mismo ya ha recorrido, sin limitarse a estudiarlos en los libros. De poco nos valdrá hablar a nuestros hermanos hindúes acerca de la experiencia de un hombre llamado Juan de la Cruz, cuyas obras tenemos en nuestras estanterías y de quien nos sentimos tan justamente orgullosos. Tal vez a ellos les interese, pero no les impresionará. Seguramente nos dirán: «Eso está muy bien, pero ¿cuál ha sido tu experiencia de Dios? Tú vienes a nosotros con tu teología, tu liturgia, tu Escritura y tu derecho canónico; pero detrás de todos esos ritos, palabras y conceptos hay una Realidad que dichos ritos simbolizan y que dichos conceptos no logran expresar adecuadamente. ¿Estás tú en contacto directo con esa Realidad? ¿Puedes ponerme a mí en contacto con ella?»

Algunas sugerencias

Si la experiencia de Dios constituye una de tus expectativas, entonces unos Ejercicios como éstos es lo que necesitas. Voy a tratar, durante estos días, de darte una serie de sugerencias que te ayuden a prepararte para experimentar a Dios, para orar y para comunicarte con Él en profundidad. He aquí algunas de ellas que quiero indicar en este preciso momento:

a) *Guardar un estricto silencio*

Hace unos años, era absolutamente obvio que la voz de Dios se escucha mejor en el silencio, que los Ejercicios deben hacerse en silencio, aunque eso ya no es tan obvio para muchos.

El silencio es una disciplina del oído, más que de la lengua. Silenciamos nuestra lengua para poder oír mejor. ¡Qué difícil es apreciar los sonidos tenues cuando estamos hablando! Ahora bien, la voz de Dios es un sonido sumamente tenue y delicado, sobre todo para unos oídos no habituados a ella. Si nuestros oídos no están habituados a escuchar la voz de Dios, entonces tenemos una especial necesidad de silencio. Un director de orquesta detectará el sonido de un instrumento tan delicado como la flauta a pesar del estruendo de la orquesta. En cambio, el oído no habituado necesita escuchar únicamente el sonido de la flauta durante algún tiempo, antes de poder reconocerlo entre todos los demás sonidos de la orquesta. Y nosotros necesitamos escuchar la voz de Dios en silencio durante algún tiempo si queremos poder detectarlo más tarde en medio del estrépito de la vida cotidiana.

El hombre moderno encuentra el silencio especialmente molesto: le resulta difícil permanecer tranquilamente a solas consigo mismo, y siente constantemente la comezón de andar de un lado para otro, de hacer algo, de decir algo...; no puede estar inactivo y, consiguientemente, la mayor parte de su actividad no es todo lo libre, creativa y dinámica que a él le gusta imaginar, sino que es compulsiva. Cuando uno adquiere la capacidad de estar tranquilo y en silencio, entonces es *libre* de actuar o dejar de actuar, de hablar o permanecer callado, y sus palabras y su actividad adquieren una nueva profundidad y una nueva fuerza.

El hombre moderno adolece de una grave superficialidad. No es capaz de profundizar en sí mismo, porque, en el momento en que lo intenta, se ve arrojado de su propio corazón, del mismo modo que el mar arroja fuera de sí un cuerpo muerto. Un autor lo ha expresado muy elocuentemente: el hombre sólo puede ser feliz si logra acceder al manantial de vida que brota en lo más profundo de su alma; ahora bien, al verse constantemente exiliado de su propio hogar, privado de su propia soledad espiritual, está continuamente dejando de ser persona. El poeta Khalil Gibran dice: «Hablas cuando dejas de estar en paz contigo mismo. Y cuando ya no eres capaz de morar en lo más profundo de tu corazón, entonces vives pendiente de tus propios labios, y el sonido se convierte en diversión y pasatiempo».

¿Quieres una sencilla demostración de hasta qué punto eres tú mismo víctima de esa crisis de profundidad? Comprueba si te sientes cómodo en medio del silencio. ¿Cuánto silencio eres capaz de soportar sin sentir el deseo compulsivo de hablar? Por supuesto que no es éste el único criterio para medir la profundidad, pero sí es un criterio bastante fiable.

b) *Evitar la lectura*

Evitad todo tipo de lectura, a excepción de la Biblia y aquellos libros, como «La Imitación de Cristo», que fomentan abiertamente la oración. Un libro puede ayudar a orar, pero, durante los Ejercicios, suele ser un obstáculo para encontrarse con Dios. Es muy fácil hundir la cabeza en un libro, del mismo modo que hundimos la cabeza en un periódico cuando tratamos de evitar a alguien. Cuando las cosas se ponen difíciles y la comunicación con Dios resulta frustrante y árida (como es forzoso que ocurra más tarde o más temprano), la tentación de refugiarse en un libro es muy fuerte. Y entonces, en lugar de exponernos valientemente a los rigores y frustraciones que conlleva el establecer contacto con Dios, en lugar de soportar el dolor de la sequedad y la desolación, nos «anestesiamos» con un libro interesante. Hemos de aprender a combatir las distracciones y a soportar pacientemente la sequedad de corazón sin echar mano del fácil recurso de un libro; el dolor puede ser purificador, y ésta es una de las pruebas fundamentales de la vida contemplativa. Tu oración se hará más profunda si eres capaz de soportar la prueba y el dolor sin escudarte en un libro.

Pero hay que evitar los libros no sólo durante la oración, sino durante todo el tiempo que duren los Ejercicios, del mismo modo que evitamos la conversación con los demás.

Guardad silencio y prestad atención a Dios durante todo el día, no sólo durante la oración; y no cedáis a la distracción de la lectura, que puede ser una distracción piadosa, indudablemente, pero que no deja de ser una distracción.

Para muchas personas, la lectura espiritual (aunque pueda ser muy válida y hasta necesaria para su *vida espiritual*), no es de ninguna utilidad durante el *tiempo de oración,* sino que es una especie de droga con la que aliviar las dificultades de la contemplación. Debo añadir, sin embargo, que hay personas para las que el tomar pequeñas dosis de dicha droga es mejor que la abstinencia total. Si, al cabo de un par de días sin echar mano de los libros, sospechas que ése es tu caso, te invito a que hables conmigo del asunto. Pero mi experiencia es que, al cabo de un par de días, la mayor parte de los ejercitantes me dicen: «¿Leer? ¡Pero si no queda tiempo para leer...!» Por lo general, éste es un estupendo indicio de que han «despegado».

c) *Darle mucho tiempo a la oración*

Dedicad todas las horas que podáis a tratar en silencio con Dios. Ésta es la manera de sacar el máximo provecho de los Ejercicios. Por supuesto que es la manera más difícil, pero también la mejor, sin lugar a dudas. Si le dedicáis mucho tiempo, vuestra vida de oración mejorará considerablemente, y éste será el verdadero tesoro que podéis llevaros de los Ejercicios.

La mayor parte de los ejercitantes dedican entre cinco y seis horas diarias a la oración, sin contar el tiempo dedicado a la Eucaristía, al Oficio Divino y a la oración comunitaria de la noche. Lo cual no es ninguna exageración: en cierta ocasión, hice un retiro dirigido por un budista que nos despertaba a las cuatro de la mañana y nos hacía meditar una media de doce horas diarias, y algunos llegaban a las catorce o quince horas. Eso sí es intensidad. No puedo evitar sonreírme al pensar que muchos católicos consideran una heroicidad el orar seis horas diarias durante unos Ejercicios.

Tendremos tiempo de insistir en la necesidad de darle tiempo a la oración. De momento, me contentaré con aconsejaros que oréis mucho y que fijéis los tiempos de la oración, que en cada caso habrán de durar una hora, o quizá más. Pero insisto en lo de «fijar los tiempos», es decir, que fijéis el momento de empezar y el momento de acabar, lo cual es sumamente útil para la mayoría de las personas, que, de otro modo, se pasarían «orando todo el día», pero cuya oración adolecería de profundidad y de intensidad, porque sería excesivamente general y difusa. Así pues, estableced vuestros tiempos de oración... y orad también fuera de esos tiempos, por supuesto.

El deseo de Dios

Si queréis conseguir una profunda experiencia de Dios en estos Ejercicios, es preciso que reunáis dos condiciones verdaderamente vitales. Si no reunís dichas condiciones, deberéis dedicar algún tiempo, al comienzo de los Ejercicios, a adquirirlas. La primera de dichas condiciones es tener deseo de Dios; la segunda, tener valor y generosidad.

Hablemos primero del deseo de Dios. Dios no puede resistirse al hombre que le desea ardientemente. Recuerdo cuánto me impresionó un relato hindú acerca de un aldeano que se acercó a un «sannyasi» (un santón), que estaba meditando a la sombra de un árbol, y le dijo: «Quiero ver a Dios. Dime cómo puedo experimentarlo». El sannyasi, como es típico en ellos, no dijo ni palabra, sino que siguió haciendo su meditación. El bueno del aldeano volvió con la misma petición al día siguiente, y al otro, y al otro, y al otro... sin recibir respuesta, hasta que, al fin, al ver su perseverancia, el sannyasi le dijo: «Pareces un verdadero buscador de Dios. Esta tarde bajaré al río a tomar un baño. Encuéntrate conmigo allí». Cuando, aquella tarde, estaban los dos en el río, el sannyasi agarró al aldeano por la cabeza, lo sumergió en el agua y lo mantuvo así durante un rato, mientras el pobre hombre luchaba por salir a la superficie. Al cabo de un par de minutos, el sannyasi lo soltó y le dijo: «Ven a verme mañana junto al árbol». Cuando, al día siguiente, acudió el aldeano al lugar indicado, el sannyasi fue el primero en hablar: «Dime, ¿por qué luchabas de aquella manera cuando te tenía sujeto por la cabeza debajo del agua?» «Porque quería respirar; de lo contrario, habría muerto», respondió el aldeano. El sannyasi sonrió y dijo: «El día en que desees a Dios con la misma ansia con que querías respirar, ese día lo encontrarás, sin lugar a dudas».

He ahí la razón principal por la que no encontramos a Dios: porque no lo deseamos con la suficiente ansia. Nuestras vidas están atestadas de muchísimas otras cosas y podemos arreglárnoslas perfectamente sin Dios, que ciertamente no nos resulta tan esencial como el aire que respiramos. No es éste el caso de un hombre como Ramakrishna. Cada vez que pienso en su vida, me siento profundamente conmovido. Tenía apenas dieciséis años cuando ya era sacerdote en un templo hindú y estaba encargado de realizar los ritos de la deidad de dicho templo. Un día le entró un súbito deseo de atravesar el velo que ocultaba al ídolo del templo y entrar en contacto con la Realidad Infinita que dicho ídolo simbolizaba, una Realidad a la que él llamaba «Madre». Aquel deseo se convirtió para él en una obsesión tal que a veces se olvidaba de realizar los ritos. Otras veces, se ponía a mover la lámpara sagrada delante de la deidad y, absorto en su obsesión, continuaba haciéndolo durante horas, hasta que llegaba alguien que le hacía volver en sí, y entonces se detenía. Manifestaba todos los signos de un hombre profunda y apasionadamente enamorado. Todas las noches, antes de retirarse a dormir, se sentaba delante de la deidad y gritaba: «¡Madre, otro día más, y sigo sin encontrarte! ¿Cuánto tiempo tendré que esperar, Madre, cuánto tiempo?» Y rompía a llorar desconsoladamente. ¿Cómo puede resistirse Dios a semejantes ansias? ¿Es de extrañar que Ramakrishna llegara a ser el extraordinario místico que fue? En cierta ocasión, hablando de lo que significa anhelar a Dios, le dijo a un amigo: «Si un ladrón estuviera durmiendo en una habitación separada únicamente por una delgada pared de un fantástico tesoro, ¿acaso podría dormir? ¿No se pasaría la noche despierto e ideando el modo de llegar al tesoro? Desde muy joven, vengo deseando a Dios mucho más de lo que ese ladrón podría desear el tesoro».

San Agustín habla del desasosiego del corazón humano, que no puede hallar la paz mientras no descanse en Dios. Sin Dios, para quien hemos sido creados, somos como peces fuera del agua. Si no experimentamos la agonía que padece el pez, es únicamente porque matamos el dolor con infinidad de deseos y placeres, y hasta problemas, que permitimos que ocupen nuestra mente, y suprimimos el deseo de Dios y el dolor de no poseerlo aún.

Si no tenemos este deseo de Dios, debemos pedirlo. Es una gracia que el Señor concede a todo aquel a quien él quiere revelarse. Ojalá que estos Ejercicios, además de aplacar esas otras ansias que anidan en nuestro corazón, haga aflorar a la superficie ese profundo deseo.

Valor y generosidad

Ésta es la segunda condición imprescindible. Orar no es fácil, sobre todo cuando se dedica mucho tiempo a la oración. Es inevitable experimentar fuertes resistencias internas (sensación de aburrimiento, de repugnancia y hasta de miedo, a medida que la oración gana en profundidad). Nada menos que santa Teresa de Jesús dice que hubo épocas en su vida en las que la oración le causaba tal repugnancia que tenía que hacer acopio de todo su valor para entrar en el oratorio. «Sé por experiencia cuán penosa es dicha prueba», dice la santa; «requiere más valor que todas las pruebas del mundo». Y nadie podrá acusar a santa Teresa de no haber padecido todo tipo de aflicciones: recuérdese todo lo que tuvo que pasar para fundar sus Carmelos reformados a lo largo y ancho de España. De modo que, para perseverar en la oración durante estos días, vais a necesitar mucha generosidad para con Dios y mucho valor.

Pero hay otra razón por la que se requieren dicho valor y dicha generosidad: no es sólo que la oración en sí misma puede constituir un ejercicio agotador, sino que, además, el Dios con el que nos encontremos en la oración va a poner al descubierto nuestras racionalizaciones, va a echar abajo nuestras defensas y va a hacer que nos veamos a nosotros mismos tal como realmente somos; y todo ello puede resultar muy doloroso. El encuentro con Dios no es siempre una experiencia dulce y placentera. Alguien ha afirmado, con mucha razón, que el encuentro, antes de hacerse placentero, ha de pasar por una fase «quirúrgica». Cada vez que la Biblia habla del encuentro de algún personaje con Dios, lo hace en relación con algún sacrificio que ha tenido que realizar, con algo a lo que ha tenido que renunciar o con alguna tarea, por lo general desagradable, que ha tenido que llevar a cabo. Por poner un ejemplo, recordemos la resistencia que oponen personajes como Jeremías o Moisés a aceptar la dura tarea que Dios les impone. Si queremos encontrarnos con Dios, hemos de estar dispuestos a escuchar su voz, que nos llama a hacer algo que tal vez nos desagrada. «Cuando eras joven, tú mismo te ceñías e ibas adonde querías; pero, cuando llegues a viejo, extenderás tus manos y otro te ceñirá y te llevará adonde tú no quieras» (Jn 21,18).

Lo cual no significa que debamos tener miedo. Las palabras que oigamos no habrán de ser únicamente palabras duras y exigentes. También serán palabras amorosas y tonificantes. Dios habrá de darnos el amor y la fuerza que necesitamos para responder a sus exigencias. Ahora bien, no podemos ignorar el hecho de que las exigencias existen, de que Dios nos llama a morir a nosotros mismos. Y la muerte es algo que, en principio, nos aterra.

Hemos de acercarnos a Dios sin condiciones, en una actitud de rendición total y absoluta. Si empezamos por decir: «Pídeme lo que quieras, menos esto o lo de más allá», o «Mándame que haga lo que sea, excepto tal o cual cosa», entonces estamos poniendo un obstáculo insalvable en el camino de nuestro encuentro con Dios. Y *no* estoy diciendo que se suponga que tenemos la fuerza necesaria para hacer lo que Dios desea que hagamos, sino todo lo contrario: se supone que *no* tenemos dicha fuerza, dada nuestra condición de pobres y débiles criaturas. La fuerza es algo que viene de Dios, no de nosotros, y a Él le toca proporcionárnosla.

Lo único que se espera de nosotros es que seamos sinceros, que no nos engañemos a nosotros mismos, que afrontemos la verdad acerca de nosotros mismos, de nuestra cobardía, de nuestro egoísmo, de nuestro talante autoritario y absorbente, y que nos despojemos de nuestras racionalizaciones. En el momento en que nos ponemos a orar, empezamos a detectar voces que proceden de nuestro interior y que preferimos no oir. Lo que se nos pide es el valor de escuchar y de no cerrar nuestros oídos ni mirar a otra parte, por muy difícil que ello nos resulte.

No debemos prejuzgar que Dios no puede pedirnos tal o cual cosa. Sería una ridiculez y una necedad. No hay nada que le impida a Dios exigirnos cualquier cosa que a nosotros pueda parecernos una locura o un absurdo. ¿Acaso hay algo más absurdo que el hecho de que la salvación haya de pasar por la Cruz? ¿Acaso hay algo más ridículo que el hecho de que los apóstoles hablaran en lenguas y se expusieran a ser tomados por borrachos? De hecho, nuestro obsesivo deseo de aparentar ser personas sensatas, equilibradas y respetables es uno de los principales obstáculos a la santidad. Queremos parecer personas correctas y perfectamente equilibradas que hacen lo que es razonable, respetable y adecuado o, mejor dicho, lo que la sociedad considera razonable y correcto. Pero el Espíritu Santo puede ser completamente «irrazonable» según los criterios del mundo; y los santos, según esos mismos criterios, estaban locos. De hecho, la línea divisoria entre la santidad y la locura es sumamente difusa y, por lo general, resulta bastante difícil distinguir entre una y otra. Si queremos ser grandes santos y hacer grandes cosas por Dios, debemos perder el miedo a que nos tomen por locos; debemos dejar de preocuparnos por nuestro «buen nombre». No excluyamos, pues, las cosas «absurdas» de la lista de cosas que Dios puede exigirnos. Acerquémonos a Él con la mente y el corazón abiertos a todo cuanto Él pueda desear de nosotros, por muy absurdo y difícil que pueda parecernos a primera vista.

Textos evangélicos

He aquí una serie de textos que pueden seros útiles en vuestra oración de mañana:

Mt 13,44-46: las parábolas de la perla preciosa y del tesoro escondido. En una y otra aparecen sendos individuos que podríamos considerar que están locos. Imaginad a un mercader que, por casualidad, descubre esa fantástica perla en una joyería. Su corazón le da un vuelco: es una joya realmente extraordinaria. Nuestro hombre sabe apreciar una buena perla con sólo verla. ¿Cuánto cuesta? 100.000 dólares ¿100.000 dólares? Sólo el pensar en esa suma le marea, porque él no es un hombre rico. De modo que se marcha de allí... Pero no puede dejar de pensar en la perla: le tiene obsesionado. Entonces toma forma en su mente un pensamiento verdaderamente absurdo: ¿y si vende su casa, sus tierras, sus útiles de trabajo, sus propias ropas... absolutamente todo? (Jesús dice explícitamente que vendió todo cuanto tenía). Si a ello añade todos sus ahorros, podrá reunir esos 100.000 dólares. ¡Cuántas dudas tiene que vencer para tomar tan vital decisión! ¿Merecerá la pena arriesgarlo todo, perderlo todo por esa perla? ¿Qué dirán los vecinos...? Pero, cuando uno está obsesionado por algo, toda otra consideración queda al margen. De manera que el muy insensato lo vende todo y adquiere la perla. He ahí el tipo de hombre que encuentra a Dios: el hombre que lo da todo, el hombre de quien todos se ríen y a quien todos toman por loco. Pero Jesús nos dice que ese hombre se va *lleno de alegría.* ¡Enorme misterio! Lo ha perdido todo... ¡y se llena de alegría! Ésa es la perla, la perla de alegría y de paz, que Dios da a quienes renuncian a todo por Él. Pero fijaos en que debe ser *todo.* Dios no hace rebajas: no vas a comprar tu alegría por 90.000

dólares, ni por 90.900, ni siquiera por 99.999. Dalo todo y lo recibirás todo. Fijémonos, por contraste, en el joven rico de Mt 19: posee muchísimos bienes... ¡y se marcha *entristecido!* La alegría auténtica y duradera sólo se encuentra en la renuncia total.

Un modelo vivo de esto lo tenemos en Pablo, que en *Flp 3,7-12* dice de sí mismo, de un modo tremendamente conmovedor, que él lo ha perdido absolutamente todo por Cristo: «Pero lo que era para mí ganancia lo he juzgado una pérdida a causa de Cristo. Y más aún: juzgo que todo es pérdida ante la sublimidad del conocimiento de Cristo Jesús, mi Señor, por quien perdí todas las cosas, y las tengo por basura con tal de ganar a Cristo e incorporarme a él... Todo cuanto quiero es conocerle a él y el poder de su resurrección y comulgar en sus padecimientos hasta hacerme semejante a él en su muerte, tratando de llegar a la resurrección de entre los muertos». Todo cuanto quiero es conocer a Cristo... ¿Podemos nosotros decir lo mismo? ¿Es verdad que es eso *todo* cuanto deseamos? Si es así, entonces ya hemos encontrado a Dios o, al menos, ciertamente estamos a punto de encontrarlo.

Tal vez prefiráis fijaros en *Lc 14,26ss* o *Mt 10,37-39* y tomar como dirigidas a vosotros las palabras de Jesús. Podéis también inspiraros en *Gn 12,* donde vemos a Abraham convertirse en nómada por obediencia a Dios, o *Gn 22,* donde al propio Abraham se le exige sacrificar a su hijo Isaac. Hay también otros textos, como el de *Lc 9,57 - 10,9,* o el de *Rom 8,35,* donde se escucha el inspirado grito de Pablo en el sentido de que nada podrá separarlo del amor de Cristo...

Ahora bien, si estos textos os resultan demasiado aterradores, demasiado exigentes para vuestras débiles fuerzas, entonces tomad *Hch 1,4-5.8-11,* donde se ve cómo los apóstoles aguardaban orando la venida del Espíritu Santo, el cual habría de librarlos de su cobardía e infundirles el valor que iban a necesitar para su labor apostólica. Y haced lo que ellos hicieron: a) no ausentarse de Jerusalén (permaneced en vuestra soledad y evitad toda conversación innecesaria con los demás); b) esperar pacientemente la fuerza que habréis de «recibir» y que no puede ser producida por ningún tipo de esfuerzo humano; y c) orad insistentemente en unión con María y con los santos. O tomad el texto de *Lc 11,1-13*, que os servirá para animaros a pedir confiadamente el Espíritu Santo.

Finalmente, podéis también tomar *1 Tim 1,12-17*, donde dice Pablo aquellas alentadoras palabras acerca de cómo, a pesar de ser él un gran pecador, Dios ha hecho cosas grandes en él para que pueda servir de ejemplo a otros; y si con un hombre como él ha hecho Dios tales cosas, ¿qué no hará con quienes confían en Él?

En cualquier caso, sean cuales sean los textos que toméis para la oración, ¡por amor de Dios, no tratéis de *producir* por vuestra cuenta lo que en realidad es puro don de Dios!, porque el valor y la generosidad que andáis buscando son algo tan heroico, y el deseo de Dios que necesitáis es tan intenso, que no hay ser humano capaz de producirlos en su propio corazón. Se trata de un don de Dios, y un don que *sólo* se obtiene a base de humilde e insistente oración de súplica. Así pues, pedid valor; pedid fuerza; pedid sinceridad. Y pedidlo todo ello, no sólo para vosotros mismos, sino para todos cuantos estáis haciendo estos Ejercicios. Pedid que todos podamos experimentar en estos días un nuevo Pentecostés; que cada uno de nosotros reciba con abundancia el Espíritu Santo y experimente Su poder transformador en su propia vida.

4
Cómo orar

Quisiera hablaros esta noche de algo que habéis venido a hacer en estos Ejercicios. Habéis venido aquí a orar. Por eso quiero hablaros de la oración: qué es y cómo hacerla. Sin embargo, antes de abordar ese tema, dejadme que os diga algo acerca de otros dos puntos relacionados con él. El primero se refiere a la necesidad de la experiencia de Dios para el apóstol; el segundo, al silencio.

La necesidad de la experiencia de Dios para el apóstol

En algún lugar habla Swami Vivekananda de su primer encuentro con Ramakrishna, y el episodio ilustra perfectamente lo que yo quiero decir sobre este punto. Vivekananda, que entonces se llamaba Narendra, era un joven estudiante un tanto precoz y engreído que afirmaba ser agnóstico. Pero, habiendo oído hablar de la santidad de Ramakrishna, fue a visitarle y le encontró sentado en la cama. El diálogo entre ambos fue, más o menos, así:

Narendra: ¿Creéis en Dios, señor?

Ramakrishna: Sí, creo en él.

Narendra: Yo no. ¿Qué es lo que os hace creer en él? ¿Podéis probarme su existencia, señor?

Ramakrishna: Sí.

Narendra: ¿Por qué estáis tan seguro de poder convencerme?

Ramakrishna: Porque en este momento lo estoy viendo con más claridad que a ti mismo.

El tono de voz con que dijo estas palabras y la expresión del rostro de Ramakrishna desconcertaron a Narendra, que a partir de entonces ya no volvió a ser el mismo, pues aquellas palabras le transformaron por completo. Esto es lo que ocurre con las palabras y con todo el ser de un hombre que se halla en contacto directo con Dios. Resulta desconcertante e inquietante encontrarse en presencia de un hombre que afirma sincera y verazmente poder sentir y ver a Dios. Un hombre como Moisés, de quien dice la Escritura que «era tenaz como si viera al Invisible» (Hbr 11,27).

Esto es lo verdaderamente decisivo de nuestra condición de apóstoles. El apóstol no es simplemente un hombre con un mensaje que transmitir. El apóstol es su mensaje. Cuando nosotros indicamos el camino de la santidad, la gente no mira en la dirección que indica nuestro dedo. Lo primero que miran es a *nosotros mismos*. Esta es hoy nuestra principal necesidad apostólica; no necesitamos tanto mejores proyectos, mejores medios, mejores estudios, mejor conocimiento de nuestro pueblo, de su lenguaje y de sus costumbres, mejores técnicas de conversión (si es que existe tal cosa), sino, sobre todo, mejores hombres: una nueva raza de hombres cuyas vidas estén inequívocamente llenas del poder y la presencia del Espíritu Santo.

La crisis de identidad

Son muchos los sacerdotes y religiosos que padecen lo que hoy conocemos como «crisis de identidad». El sacerdote ya no sabe quién es ni quién se supone que debe ser en el mundo moderno. Lo cual constituye un problema, evidentemente; pero ¿constituye también una crisis? Por supuesto que tenemos que estudiar y reflexionar para llegar a una más adecuada definición teológica de lo que realmente es un sacerdote; y, de hecho, yo he podido apreciar el efecto liberador que ello supone para la vida y la labor de muchos sacerdotes. Pero ¿tiene necesariamente que constituir una crisis para el sacerdote esa falta de una definición teológica adecuada?

¿Acaso el laico felizmente casado se encuentra en un estado de crisis personal por el hecho de que aún estemos buscando una adecuada definición teológica del matrimonio (y, a fuer de sinceros, siempre lo estaremos, dada la riqueza de las diferentes culturas y de las realidades espirituales y las limitaciones de la inteligencia humana)? Es cierto que una mejor definición y una más adecuada comprensión del matrimonio sería de mucha utilidad para nuestros laicos en su vida matrimonial. Pero, mientras se logra, lo cierto es que ellos están experimentando la realidad del matrimonio, aun cuando no posean dicha definición. El laico casado ama a su mujer y a sus hijos y es amado por éstos, y experimenta el crecimiento y la realización que los gozos y los sinsabores de la vida matrimonial le proporcionan. No hay razón, pues, para que se halle en estado de crisis.

Tiene mucha razón «La Imitación de Cristo» cuando dice: «Más deseo sentir la contrición que saber definirla». ¿No podemos decir lo mismo de muchos modernos sacerdotes que están atravesando su crisis de identidad? ¿Han *experimentado* el sentido de su sacerdocio, sin limitarse a *hablar* de él? ¿Están enamorados de Cristo? ¿Están llenos del Espíritu? ¿Conocen la satisfacción que produce el dar el Espíritu a otros, el llevar a Cristo a las vidas de otros? Si es así, no veo por qué han de padecer una crisis de identidad que no padece, por ejemplo, el hombre felizmente casado del que acabamos de hablar. Ahora bien, para experimentar el amor de Cristo, primero hay que haberse encontrado con él. Para dar el Espíritu Santo, primero hay que haber experimentado su poder en la propia vida. De esto se trata en los Ejercicios. No se trata de un seminario en el que hablamos sobre Cristo, sino de un tiempo de silencio en el que hablamos con Cristo. Ya llegará el momento de hablar sobre él. Tratemos primero de encontrarlo y de llegar a una intimidad con él, y entonces tendremos realmente algo que decir acerca de él.

Silencio

Lo cual nos lleva al segundo punto. Muy pocas cosas ayudan tanto a conversar con Cristo como el silencio. Me refiero, obviamente, al silencio interior del corazón, sin el cual, sencillamente, no es posible oír la voz de Cristo. Este silencio interior es muy difícil de lograr para la mayoría de nosotros: cerrad los ojos por un momento y observad lo que ocurre en vuestro interior. Lo más probable es que os veáis sumergidos en un mar de pensamientos que no podéis contener: palabras, palabras, palabras... (porque en esto suele consistir la actividad pensante: en hablarnos a nosotros mismos); ruidos, ruidos, ruidos...: nuestra propia voz interior compitiendo con el recuerdo de otras voces e imágenes que reclaman nuestra atención. ¿Qué posibilidades tiene de hacerse oir la tenue voz de Dios en medio de todo ese bullicio?

El silencio exterior constituye una enorme ayuda para lograr el silencio interior. Si no eres capaz de guardar el silencio exterior o, dicho de otro modo, si te resulta imposible mantener la boca callada, ¿cómo vas a guardar el silencio interior?; ¿cómo vas a mantener callada tu boca interior? Tu capacidad de tolerar el silencio es un indicador bastante exacto de tu profundidad espiritual (e incluso intelectual y emocional). Es posible, sin embargo, que, cuando calles la boca, el ruido en tu interior se haga aún más estruendoso, aumenten tus distracciones y hasta te resulte aún más difícil orar. Ello no es debido al silencio: el ruido siempre ha estado ahí, y el silencio sólo consiste en que te hagas consciente de dicho ruido y te des la oportunidad de hacerle callar y dominarlo.

Jesús nos recomienda que cerremos la puerta cuando vayamos a orar. Evidentemente, no vamos a excluir al resto del mundo de nuestros corazones, porque debemos llevar a la oración, con nosotros, sus preocupaciones e inquietudes. Pero esa puerta debe quedar firmemente cerrada; de lo contrario, el estruendo del mundo se colará y ahogará la voz de Dios, sobre todo al principio, cuando no nos resulta fácil concentrarnos. El principiante en la oración no necesita menos concentración que el principiante en matemáticas, que no puede resolver un problema difícil si a su alrededor hay un ruido excesivo. Ya llegará el momento en que, al igual que el estudiante de matemáticas, el que trata de aprender a orar se vea tan agarrado por el objeto de su interés (la oración) que ningún ruido en el mundo pueda distraerle. Pero al principio ha de tener la humildad de reconocer su necesidad de quietud y de silencio.

Los santos hablan del silencio

Los santos han hablado con enorme elocuencia sobre la importancia del silencio. He aquí un par de citas que he tomado de un libro de Thomas Merton. La primera es de un monje sirio, Isaac de Nínive, y lo que dice es válido tanto para el eremita solitario como para el apóstol inserto en medio de la ciudad moderna: «Son muchos los que andan buscando constantemente, pero sólo encuentran los que permanecen en constante silencio... El hombre que se complace en la abundancia de palabras, aunque diga cosas admirables, está vacío por dentro. Si amas la verdad, sé amante del silencio. El silencio, como la luz del sol, te iluminará en Dios y te librará de los fantasmas de la ignorancia. El silencio te unirá con el propio Dios... Más que cualquier otra cosa, ama el silencio, que habrá de darte un fruto que ninguna lengua humana es capaz de describir. Al principio hemos de violentarnos a nosotros mismos para permanecer silenciosos, pero luego nace algo en nosotros que nos arrastra al silencio. Ojalá te haga Dios experimentar ese "algo". Si lo logras, una luz inefable te iluminará... y, al cabo de un tiempo, una indecible dulzura nacerá en tu corazón, y el cuerpo se verá casi obligado a permanecer en silencio».

Merece la pena meditar cada una de las palabras de esta cita, porque hablan convincentemente al corazón de todo aquel que haya experimentado los tesoros que encierra el silencio.

La otra cita es de un Padre del desierto, Ammonas, discípulo de san Antonio: «Fijaos bien, queridos míos, cómo os he enseñado el poder que tiene el silencio, cuán concienzudamente sana y cuán absolutamente grato es a Dios. Por lo cual os he escrito que os mostréis tenaces en la labor que habéis emprendido, para que sepáis que es gracias al silencio como el poder de Dios habitaba en ellos y les fue dado conocer los misterios de Dios».

Evidentemente, Isaac de Nínive hablaba por propia experiencia cuando decía: «Al principio hemos de *violentarnos* a nosotros mismos para permanecer silenciosos». El silencio no nos resulta fácil al principio. Cuando tratamos de guardarlo, detectamos fuertes resistencias en nosotros. En su libro *Mysticism,* Evelyn Underhill habla de la importancia de superar esas resistencias: «Hasta entonces, el yo desconoce el extraño mundo del silencio, que no tarda en hacerse familiar aun a quienes dan los primeros pasos en la vida contemplativa, donde el yo se ve dispensado de sucederse, ya no se escuchan las voces del mundo y tienen lugar las grandes aventuras del espíritu».

Aventuras, sí. Os aseguro que realizaréis apasionantes descubrimientos una vez que hayáis superado el inicial fastidio y desasosiego que el silencio conlleva. Descubriréis que ese pesado silencio está inundado, en realidad, de una luz y una música verdaderamente asombrosas; que lo que a primera vista parecía ser nada y vacío está, de hecho, lleno de la presencia de Dios. Una presencia que es imposible describir, pero que de algún modo ha sido sugerentemente expresada por Simone Weil al tratar de describir el efecto que le produce recitar el Padrenuestro: «A veces, ya las primeras palabras hacen que mis pensamientos se separen de mi cuerpo, transportándolos a un lugar, fuera del espacio, donde no hay ni perspectiva ni punto de vista... Al mismo tiempo, y llenando todas y cada una de las partes de esa infinidad de infinidad, hay un silencio que no es mera ausencia de sonido, sino que es objeto de una sensación positiva, más positiva que la del sonido. Los ruidos, si es que hay alguno, sólo me llegan después de haber cruzado el silencio».

Tras oir estas palabras, imagino que no necesitáis que os insista más en la importancia de guardar un estricto silencio durante estos días, porque no es probable que tengáis en el resto del año una mejor oportunidad y porque, además, los efectos del silencio son acumulativos, es decir, que el silencio que se produce al cabo de cuatro días de silencio es más profundo que el que se da al comienzo de los Ejercicios.

Cómo orar: Jesús, el Maestro de la oración

Si queréis sacar de estos Ejercicios el fruto que esperáis obtener, debéis dedicarle mucho tiempo a la oración. Y, si queréis orar como es debido, debéis saber cómo hacerlo. ¿Cómo hay que orar? Esta es una pregunta que los apóstoles le hicieron a Jesús. Y el propio Jesús les enseñó lo que tenían que hacer para orar. Lo cual es una suerte para nosotros, porque también nosotros podemos aprender de él el modo de orar. No hay mejor maestro que Jesús en el arte de la oración; de hecho, para los cristianos no hay otro maestro.

En Lc 11 leemos: «Estando él orando en cierto lugar, cuando terminó, le dijo uno de sus discípulos: "Maestro, enséñanos a orar, como enseñó Juan a sus discípulos"». Los apóstoles supieron recurrir directamente al Maestro cuando quisieron aprender a orar. Os aconsejo que hagáis lo mismo. De hecho, ningún hombre podrá enseñaros a orar. Yo, desde luego, no me considero capaz. Ojalá que las charlas que os dé a lo largo de estos días os sean de utilidad para vuestra vida de oración; pero, tarde o temprano, habréis de topar con dificultades que ningún maestro del mundo podrá resolver por vosotros, y tendréis que poder cada uno de vosotros recurrir directamente a Jesús y decirle: «Señor, enséñame a orar». Y él resolverá vuestras dificultades y os guiará personalmente. Por eso os aconsejo desde el principio que, cuando topéis con esas dificultades y os resulte arduo seguir adelante, os volváis a Jesús y le digáis: «Señor, enséñame a orar». Decídselo una y otra vez; decídselo durante todo el día, si es necesario. Decídselo sin tensiones ni ansiedades de ningún tipo, tranquilamente, con la firme esperanza de que él habrá de enseñaros, como, de hecho, lo hará. Ésta es, pues, la primera respuesta a la pregunta «¿Cómo orar?»: acudid a Jesús y pedidle que os enseñe a hacerlo. Así aprenderéis a orar.

Oración centrada en Dios

Sigamos con el anterior pasaje evangélico y veamos qué enseñanza ofrece el Señor sobre la oración. «Él les dijo: "Cuando oréis, decid: Padre, santificado sea tu nombre; venga tu Reino…"» Ya en estas palabras nos enseña Jesús algo sobre la oración: nos enseña a comenzar, no por nosotros mismos, sino por el Padre; no por nuestros intereses y necesidades, sino por su Reino. «Buscad primero el Reino de Dios y su justicia, y todo lo demás se os dará por añadidura» (Mt 6,33). La oración de Jesús, como toda su vida, era, esencialmente, una oración centrada en Dios. Hoy hablamos de él como del «hombre para los demás», como en realidad lo fue; pero fue aún más el «hombre para su Padre». Los evangelios hacen ver con toda claridad que la verdadera gran obsesión en la vida de Jesús no es la humanidad, sino su Padre. Y nosotros sólo seremos sus hermanos y hermanas si hacemos la voluntad de su Padre. A Jesús no le interesa tanto que le digamos: «¡Señor, Señor!», sino que hagamos la voluntad de su Padre, como él mismo hizo. (De hecho, lo que verdaderamente le obsesiona es lograr hacer de todos nosotros amantes y adoradores del Padre, como él lo fue). Nos gusta pensar que fue por amor por lo que se encaminó a su Pasión, y así fue en realidad. Pero conviene que caigamos en la cuenta de que, con todo el amor que nos tenía, la idea de padecer aquella Pasión le repugnaba; no quería padecerla; lo único que le hizo afrontarla fue su Padre: «Padre, aparta este cáliz de mí; no lo quiero; pero, si es tu voluntad, lo tomaré»... «El mundo ha de saber que amo al Padre y que obro según el Padre me ha ordenado. Levantaos. Vámonos de aquí» (Jn 14,31).

Ésta es, pues, la primera lección que Jesús nos da cuando nos enseña a orar. Nos enseña a comenzar por Dios, a interesarnos por que venga su Reino, por que sea glorificado su nombre, por que se haga su santa voluntad en todas partes... Y ésta es una de las razones por las que falla nuestra oración: por estar demasiado centrada en el yo, demasiado centrada en el hombre. Hemos de salir de nosotros mismos y centrarnos en Dios y en su Reino.

Pero Jesús también nos enseña a orar por nosotros mismos. No nos recomienda esa falsa especie de santa indiferencia de quien dice: «Yo no me preocupo de mí en lo más mínimo: todas mis necesidades las dejo en manos de Dios». ¡No, señor! Jesús no dice nada de eso. Debemos tener la humildad de aceptar el hecho de que tenemos necesidades, incluso necesidades materiales, y pedir a Dios que las satisfaga. Jesús nos manda pedir tres cosas para nosotros mismos: el pan de cada día (¡pan, no caviar!), el necesario vigor espiritual y el perdón de los pecados.

Oración de petición

¿Habéis observado que la oración que Jesús enseña a sus apóstoles es toda ella una oración de petición?: «Padre, santificado sea tu nombre; venga tu Reino; hágase tu voluntad...» ¡Incluso estas cosas son objeto de nuestra petición! Más cierta que la salida del sol es la venida del Reino de Dios. Y, sin embargo, Jesús nos manda que la pidamos...

Esto era la oración para Jesús. Tal como él se lo enseñó a sus apóstoles, la oración consiste en pedir lo que necesitamos, lo que es bueno para nosotros. Y, como para corroborarlo, Jesús hace una especie de comentario al Padrenuestro: «Si uno de vosotros tiene un amigo y, acudiendo a él a medianoche, le dice: "Amigo, préstame tres panes, porque ha llegado de viaje un amigo mío y no tengo qué ofrecerle", y aquél, desde dentro, le responde: "No me molestes; la puerta ya está cerrada, y mis hijos y yo ya estamos acostados; no puedo levantarme a dártelos", os aseguro que, si no se levanta a dárselos por ser su amigo, al menos se levantará por su importunidad y le dará cuanto necesite. Yo os digo: Pedid y se os dará; llamad y se os abrirá. Porque todo el que pide, recibe; y el que busca, halla; y al que llama, se le abre» (Lc 11,5-10).

Las palabras sorprenden verdaderamente por su simplicidad: *todo el que...; no se hace distinción entre santos y pecadores, no hay «si...» ni «pero...» de ninguna clase; *todo el que pide, recibe. Es como si fuera demasiado para poder creerlo. («Extrañas palabras son ésas... ¿Quién puede creerlas?»). Nos asalta toda clase de dudas y reservas: «Hemos pedido cosas muy a menudo y no las hemos recibido; lo más seguro es que Jesús no quisiera decir literalmente lo que dice...» Por eso insiste: «¿Qué padre hay entre vosotros que, si su hijo le pide pan, le da una piedra; o, si un pescado, en vez de pescado le da una culebra; o, si pide un huevo, le da un escorpión? Pues si vosotros, siendo malos, sabéis dar cosas buenas a vuestros hijos, ¡cuánto más el Padre del cielo dará el Espíritu Santo a quienes se lo pidan!» (Lc 11,11-13).

Es ésta una enseñanza constante del Nuevo Testamento: la oración es eficaz; la oración nos da cuanto necesitamos...; y la oración es, básicamente, oración de petición. He aquí algunos textos que podéis ver por vosotros mismos. Os recomiendo que los leáis con un espíritu orante, y seguro que habrán de sorprenderos, a menos, naturalmente, que conozcáis ya el poder de la oración de petición y hayáis venido practicándola habitualmente: Lc 11,1-13; Mc 11,22-26; Mt

21,20-22; Lc 18,1.8; Jn 14,12-14; Jn 15,7; Jn 16,23-24; Sant
1,5-8; Sant 5,13-18; 1 Jn 3,22; 1 Jn 5,14-15; Flp 4,4-7; 1
Tim 2,1ss.

La clave del arte de orar

En los primeros años de mi vida religiosa, tuve la inmensa
suerte de hacer unos Ejercicios bajo la dirección de un hombre
verdaderamente extraordinario, el P. José Calveras, que tenía
fama de enseñar a orar a la gente durante los Ejercicios. He
conocido a ancianos y venerables jesuitas, con muchos años
de vida religiosa, que han salido de unos Ejercicios del P.
Calveras diciendo: «Este hombre me ha enseñado verdaderamente a orar» (lo cual, naturalmente, no era del todo exacto,
porque apenas habrá un cristiano que no sepa orar de uno u
otro modo). Supongo que lo que querían decir era que el P.
Calveras les había enseñado a orar de un modo más satisfactorio y con una mayor profundidad. Al menos, esto fue
lo que ocurrió en mi caso.

Recuerdo que acudí a aquellos Ejercicios con mucha ilusión y grandes expectativas. Sin embargo, al cabo de un par
de días tropecé con mis habituales problemas en la oración.
Cuando se los comuniqué al P. Calveras, éste se limitó a
preguntarme: «¿Cómo ora usted?» (Más tarde caería en la
cuenta, con gran sorpresa por mi parte, de que hasta entonces
nadie me había hecho aquella pregunta tan a quemarropa).
De modo que me puse a describirle con todo detalle lo que
yo hacía en la oración: «Tomo un determinado punto de
meditación y empiezo a discurrir sobre él y, al cabo de uno
o dos minutos, mi mente ya está divagando y me distraigo
por completo». «¿Y qué hace usted entonces?», me preguntó
el P. Calveras. «Bueno, pues cuando me doy cuenta de que
estoy distraído (lo cual no suele suceder demasiado pronto),
vuelvo de nuevo al punto en el que estaba meditando». «¿Y
luego?», volvió a preguntar. «Luego vuelvo a distraerme».
«¿Y luego?» El P. Calveras se mostró sumamente paciente

mientras yo le contaba cómo, en mi oración, pasaba una y otra vez de la meditación a la distracción, y viceversa, y cómo la distracción solía suponer aproximadamente un noventa por ciento de mi tiempo de oración. Desde entonces, he conocido a infinidad de personas a las que les ocurría exactamente lo mismo, y no me sorprendería que ésta fuera la experiencia de muchos de vosotros.

Entonces me dijo el P. Calveras: «Lo que hace usted es pensar-meditar, no *orar*. Y por supuesto que no hay nada de malo en meditar, con tal de que ello le ayude a usted a *orar*. Dígame, ¿tiene usted un rosario?» (Debo aclarar que eran tiempos anteriores al Vaticano II, aunque, personalmente, yo sigo conservando mi devoción al rosario). «Sí», le respondí. «Sáquelo usted, ¿quiere?» (Yo era un jesuita muy joven, y el P. Calveras era ya un anciano y podía hacer una cosa así con absoluta impunidad). Hice lo que me decía, y él me dijo: «¿Sabe usted usarlo?» «Naturalmente que sí». «Entonces, ¿por qué no lo usa?» «¡Cómo! ¿Quiere usted decirme que rece el rosario durante la meditación?» Yo estaba asombrado, y lo manifesté. Lo que no manifesté fue lo que pensaba en aquellos momentos y que, más o menos, era lo siguiente: «¿Acaso este hombre, este célebre maestro en el arte de orar, espera en serio que vaya yo a rezar el rosario durante la meditación?» Yo había llegado a asociar el rezo del rosario con la devoción de personas sencillas e ignorantes: una oración propia de campesinos y pescadores y a la que sólo había que recurrir en el caso de no poder orar de ninguna otra manera. Una especie de recurso de emergencia. Pero yo era perfectamente capaz de meditar: ¡acababa de licenciarme en filosofía...!

Pero, con su habitual calma, el P. Calveras prosiguió: «Rece un misterio pidiendo a nuestra Señora que le obtenga la gracia de la oración, la gracia de superar sus distracciones. Luego vuelva a su meditación, si lo desea. Y, si sigue distraído, rece otro misterio o los que haga falta. Es posible que tenga usted que renunciar del todo a meditar y limitarse a pedir las gracias que necesita. Rece por los demás ejercitantes, por sus seres queridos, por el mundo... El fruto de unos Ejercicios no se obtiene mediante la meditación y la reflexión profunda, que es puro don de Dios. Y, aunque una cierta dosis de reflexión es útil y hasta necesaria, este don se obtiene a base de pedir y suplicar. De modo que suplíquelo, y el Señor se lo dará. Pida usted la gracia de orar. Pida la gracia de ser generoso con Cristo. Pida la gracia de experimentar su amor».

Evidentemente, el P. Calveras había tomado al pie de la letra las enseñanzas evangélicas acerca de la oración. La experiencia me ha enseñado, más tarde, que ésa era la razón principal por la que el P. Calveras fue un verdadero maestro en el arte de orar. Creía firmemente, y nos enseñaba a los demás a creer, que todo cuanto teníamos que hacer era pedir al Señor lo que necesitábamos, y que el Señor no podía defraudarnos. Solía decir: «La clave del arte de orar la constituye la oración de petición. Muchas personas no aprenden nunca a orar, porque nunca han aprendido a hacer un uso eficaz de la oración de petición. La mano extendida en actitud de súplica obtiene lo que no es capaz de lograr la mano apretada contra la frente en actitud pensante».

En aquella entrevista me dijo también el P. Calveras: «¿Le gustan las letanías de los santos o las letanías de nuestra Señora? ¿Sí? Entonces rece lenta y atentamente de este modo: ''Santa María, ruega por mí. Santa Madre de Dios, ruega por mí. Santa Virgen de las vírgenes, ruega por mí...'' ¿Puede usted orar de esta manera?» Por supuesto que podía hacerlo. Lo malo era que me parecía demasiado fácil, y yo pensaba que la oración debía ser algo bastante más complicado. Más tarde leería un libro del propio P. Calveras en el que explicaba cómo la simple oración vocal y el uso piadoso de las jaculatorias es la antesala del misticismo, mientras que a mí me habían enseñado a ver en ello la oración de los principiantes y de los ignorantes. Sin embargo, para el P. Calveras y para cualquiera con una cierta experiencia en el arte de orar, dicha oración es la oración de los ya avezados en semejante arte.

Hacerse niños en la oración

Lo cierto es que el P. Calveras me enseñó a orar, y desde aquel día no he podido decir honradamente que no supiera cómo orar. Por supuesto que he tenido mis dificultades para orar y, siento tener que decirlo, no siempre he sido fiel a la oración. Pero repito que nunca he podido decir que no supiera orar, porque no sería verdad. Ciertamente, sé orar: lo único que tengo que hacer es recurrir a la simple oración vocal, a la oración de petición. Y esto es algo que pueden hacer hasta los niños. Lo malo es que muchos de nosotros hemos dejado de ser niños y hemos olvidado el modo de orar.

He conocido a muchos sacerdotes y religiosos (y religiosas) que oraban mucho mejor antes de entrar en el seminario o en el noviciado que después. ¿Os sorprende? Pues es muy probable que a muchos de vosotros os suceda lo mismo. Antes de entrar en el noviciado, seguramente orábamos con enorme sencillez de corazón y recurríamos a Dios y a la Santísima Virgen en todas nuestras necesidades pidiéndoles, por ejemplo, aprobar los exámenes, tener salud, obtener éxito en nuestras empresas... Pero luego crecimos y aprendimos una serie de ingeniosas razones acerca de cómo a Dios no pueden interesarle semejantes nimiedades humanas..., de cómo Dios ayuda a los que se ayudan a sí mismos..., de cómo no podemos modificar la voluntad de Dios, etc., etc. Y entonces dejamos de esperar y de pedir milagros, y las intervenciones de Dios en nuestras vidas fueron haciéndose cada vez más escasas. Y, además, aprendimos complicados métodos de oración, pues se nos enseñó a reflexionar en profundidad. En otras palabras: pasamos a poner el acento en la lectura, en la meditación y en la oración discursiva. Poco a poco, llegamos a convencernos de que lo que necesitábamos para ser santos era tener convicciones profundas, y el modo de conseguirlo consistía en reflexionar, reflexionar y reflexionar, en meditar, meditar y meditar. Pero la auténtica verdad es que, si queremos ser santos, lo que necesitamos, mil veces más que convicciones profundas, es energía, fuerza espiritual, valor y perseverancia; y para ello debemos pedir, pedir y pedir; orar, orar y orar.

En una charla ulterior trataremos de las objeciones que suelen ponerse a la oración de petición. De momento, bastará con que os expongáis abiertamente a lo que Cristo dice en los evangelios acerca de la oración, lo cual hará que brote en vuestro corazón una indomable esperanza... y hasta una certeza: si lo pido con absoluta seriedad, me será dado el Espíritu Santo... tal vez hoy mismo. ¿Por qué no? Seréis verdaderamente afortunados si Dios os concede esta clase de fe, porque entonces pediréis, y se os dará con toda seguridad. Pero, ¡cuidado!: *no* estoy aconsejándoos que abandonéis completamente la meditación. El hecho mismo de que os sugiera que leáis los mencionados pasajes evangélicos significa que os invito a realizar alguna forma de meditación y reflexión. Lo que estoy insinuando es que dejéis de poner toda vuestra confianza en la meditación y confiéis más en el poder de la simple oración de petición, dando a ésta mucha más importancia que a aquélla. Si lo hacéis, descubriréis el poder, la seguridad y la paz que proporciona la oración y constataréis la razón que tiene Pablo cuando dice a los filipenses: «El Señor está cerca. No os inquietéis por cosa alguna; antes bien, en toda ocasión presentad a Dios vuestras peticiones mediante la oración y la súplica, acompañadas de la acción de gracias. Y la paz de Dios, que supera todo conocimiento, custodiará vuestros corazones y vuestros pensamientos en Cristo Jesús» (Flp 4,5-7). Y, una vez experimentada por vosotros mismos la verdad que encierran estas palabras, ya no volveréis a abandonar la oración en toda vuestra vida.

5
Las leyes de la oración

Cualquiera que lea las palabras de Jesús sobre la oración de petición con ojos imparciales y sin prejuicios, tendrá que quedar impresionado: pedid, dice Jesús, y seguro que recibiréis. Una tremenda esperanza brota en nuestros corazones: ¿Será realmente cierto? ¿Bastará con que le acepte con fe y me lance... para recibir todo cuanto necesito y deseo...? Pero resulta que, muchas veces, nuestra experiencia mata la esperanza. «He orado tan frecuentemente en el pasado y me he visto tan a menudo decepcionado... Es posible que las palabras de Jesús no signifiquen lo que parecen expresar. De lo contrario, ¿cómo explicar mi constante fracaso en la oración?»

La respuesta a esta pregunta es bastante sencilla. Si has fracasado en la oración, no es porque la oración no «funcione», sino porque no has aprendido a orar como es debido. Un mecánico podrá quejarse de que una determinada máquina no funciona, porque cada vez que la utiliza se avería; pero puede suceder que la máquina funcione perfectamente y que él sea un mal mecánico. Si fracasamos en nuestra oración, es porque somos malos orantes, porque no dominamos las leyes de la oración que tan claramente formuló Jesús. Y es que la oración tiene sus propias leyes y su propia mecánica.

La primera ley de la oración: la fe

¿Habéis observado la costumbre que tenía Jesús, cuando alguien le pedía un favor, de preguntarle: "¿Crees que puedo hacerlo?"'? En otras palabras: Jesús insistía en la necesidad de tener fe en su poder de curar y de hacer milagros. Se nos dice en el Evangelio que no pudo realizar muchos milagros en Nazaret, su ciudad natal, debido a la falta de fe de sus conciudadanos. Con Jesús, las cosas funcionaban de acuerdo con una ley casi infalible: si crees, todo es posible; pero, si no crees, no puedo hacer nada por ti. Ahora bien, ni siquiera es preciso que tengas tú la fe: basta con que alguien la tenga por ti. (Me referiré a esto, más adelante, como una de las ventajas de la oración compartida: puedes pedir al Señor lo que sea y puede que tu fe sea demasiado débil para obtenerlo; pero el Señor te dará lo que le pidas). Por lo que podemos saber, la hija de Jairo no tenía fe, como tampoco la tenían el criado del centurión del que se habla en Mt 8,5 ni el paralítico de Mt 9,2-8. Bastó, en cada caso, con que tuviera fe el peticionario, y no necesariamente el beneficiario del milagro. Pero fe tenía que haber, y nada podía reemplazarla.

Como decía, Jesús hizo de ello una especie de ley. En Mt 21,18ss leemos: «Al amanecer, cuando volvía a la ciudad, sintió hambre; y, al ver una higuera junto al camino, se acercó a ella, pero no encontró en ella más que hojas. Entonces dice a la higuera: "¡Que nunca jamás brote fruto de ti!" Y al momento se secó la higuera. Al verlo, los discípulos se maravillaron y decían: "¿Cómo al momento quedó seca la higuera?" Jesús les respondió: "Os aseguro que, si tenéis fe y no vaciláis, no sólo haréis lo de la higuera, sino que, si decís a este monte: 'Quítate y arrójate al mar', así se hará. Y todo cuanto pidáis con fe en la oración, lo recibiréis"».

Mc 11,20ss narra el mismo episodio, pero lo dice con mayor énfasis: «Al pasar muy de mañana, vieron que la higuera estaba seca hasta la raíz. Pedro, recordándolo, le dice: "¡Rabbí, mira, la higuera que maldijiste está seca!" Jesús les respondió: "Tened fe en Dios. Os aseguro que quien diga a este monte: '¡Quítate y arrójate al mar!' y no vacile en su corazón, sino que crea que va a suceder lo que dice, lo obtendrá. Por eso os digo: todo cuanto pidáis en la oración, creed que ya lo habéis recibido y lo obtendréis».

Esta ley de la fe la entendieron perfectamente los apóstoles, que, a su vez, la transmitieron a los primeros cristianos. Santiago lo dice del siguiente modo en su carta (1,5-8): «Si alguno de vosotros está a falta de sabiduría, que la pida a Dios, que da a todos generosamente y sin echarlo en cara, y se la dará. Pero que la pida con fe, sin vacilar; porque el que vacila es semejante al oleaje del mar, movido por el viento y llevado de una a otra parte. Que no piense recibir cosa alguna del Señor un hombre como éste, un hombre irresoluto e inconstante en todos sus caminos».

También en nuestros días sigue Jesús haciendo milagros en respuesta a la fe. Y debo confesar que me ha impresionado especialmente la fe de algunas personas consagradas al ministerio con los enfermos y que parecen realizar de nuevo los milagros que leemos que realizaba Jesús en los evangelios, y los apóstoles en el libro de los Hechos. ¿Habéis pensado alguna vez que, siempre que Jesús envía a sus apóstoles a predicar, les da el poder de curar y de hacer milagros, como si quisiera unir indisolublemente ambos ministerios: el de curar y el de predicar? En cierto sentido, todo predicador del Evangelio ha de ser también una especie de taumaturgo o hacedor de milagros. Por eso es muy significativo que lo único que piden para sí los Apóstoles, además de la audacia y el coraje de proclamar el Evangelio, es la gracia de hacer milagros. Después de ser absueltos por el tribunal, los Apóstoles pronuncian esta oración: «Ahora, Señor, ten en cuenta sus amenazas y concede a tus siervos que puedan predicar tu Palabra con toda valentía, extendiendo tu mano para que realicen curaciones, señales y prodigios por el nombre de tu santo siervo Jesús» (Hch 4,29-30). Y su oración parece haber sido generosamente escuchada: «Acabada su oración, retembló el lugar donde estaban reunidos, y todos quedaron llenos del Espíritu Santo y predicaban la Palabra de Dios con valentía» (4,31). «Por mano de los apóstoles se realizaban muchas señales y prodigios en el pueblo (…) hasta tal punto que incluso sacaban a los enfermos a las plazas y los colocaban en lechos y camillas, para que, al pasar Pedro, siquiera su sombra cubriese a alguno de ellos. También acudía la multitud de las ciudades vecinas a Jerusalén trayendo enfermos y atormentados por espíritus inmundos; y todos ellos eran curados» (5,12.15-16).

San Pablo, que sobresale en el libro de los Hechos por su condición de taumaturgo, apelará a su poder de realizar milagros cuando se esfuerce por hacer ver las credenciales que dan fe de su condición de apóstol en la Iglesia primitiva: «Si he sido un insensato, es porque me habéis obligado vosotros, que deberíais hablar en favor mío, porque, aunque yo no sea nadie, en nada soy inferior a esos "superapóstoles". La marca de apóstol se vio en mi trabajo entre vosotros, en la constancia a toda prueba y en las señales, portentos y milagros» (2 Cor 12,11-12).

¿Por qué no asistimos hoy a milagros parecidos a aquellos de los que fue testigo la Iglesia primitiva? ¿Por qué hay tan pocos casos de curaciones milagrosas y, menos aún, de resurrecciones de muertos? Algunos dicen que es porque hoy no hay necesidad de milagros. Pero yo tengo la impresión de que nunca los hemos necesitado tanto; si no se dan, es, sencillamente, porque no esperamos que ocurran; nuestra fe está «bajo mínimos». Recuerdo una conversación que tuve con un jesuita que lleva a cabo una espléndida labor entre los hindúes, los cuales le veneran como a un hombre santo y un guru. Él sentía la urgencia de proclamar a sus «discípulos» hindúes la fe y la lealtad explícita al Señor resucitado; pero ¿cómo hacer tal cosa con un grupo de seres humanos para quienes todas las religiones son igualmente buenas y que aceptan incondicionalmente a Jesús…, pero a su modo: como una manifestación más de la divinidad, semejante a Buda o a Krishna? Recuerdo que yo le dije: «¿Sabes cuándo empezarán a funcionar las cosas? Cuando muera una hija de uno de tus discípulos y tú vayas a su casa y digas a los presentes: "No lloréis; la niña vivirá", y hagas realidad tan audaces palabras, como hacían los Apóstoles en el libro de los Hechos. Entonces comenzará a marchar el asunto, te lo aseguro. Entonces habrá conversiones a Jesucristo y se desencadenarán la hostilidad y la persecución». Hoy hay muy poco de ambas cosas en la India.

Os decía antes que, de algún modo, Jesús ponía en relación el carisma de realizar curaciones y milagros con el ministerio de la predicación. Él mismo unió ambas cosas en su propia vida y apostolado, y otro tanto hizo siempre que envió a sus apóstoles a predicar. Y ello, probablemente, se debe a que, para la mayoría de nosotros, nada es tan real como nuestros propios cuerpos; y, cuando vemos a Dios actuando en nuestros cuerpos, entonces Él nos resulta más real que nunca.

Afortunadamente, también el mundo moderno se beneficia de las poderosas obras del Señor resucitado, vivo aún en medio de nosotros. Conozco a misioneros que han realizado auténticos milagros por su gente. Concretamente, yo estoy verdaderamente impresionado por la fe de un hombre como David Wilkerson, que en su admirable libro, *The Cross and the Switchblade,* refiere cómo cura a toxicómanos que han sido desahuciados por la medicina y la psiquiatría modernas. Al parecer, nada puede hacerse por el drogadicto que ha empezado a inyectarse la droga en la sangre. Sin embargo, Wilkerson afirma poder curarlos imponiéndoles las manos y comunicándoles el poder del Espíritu Santo. ¡He ahí la fe en acción!

Si queréis conocer otros casos de fe realmente excepcionales, leed los libros de Basilea Schlink, *Realities,* y del Hermano Andrew, *God's Smuggler,* especialmente lo que este último refiere acerca de su seminario de adiestramiento, en el que se envía a los miembros del mismo en misiones pastorales sin más que una libra esterlina en el bolsillo, con objeto de poner literalmente a prueba el evangelio antes de salir a predicarlo por sí mismos.

Si, en nuestras vidas, nunca o casi nunca experimentamos las milagrosas intervenciones de Dios, es porque, o bien no vivimos de un modo suficientemente arriesgado, o bien nuestra fe se ha debilitado y apenas podemos esperar que se produzcan milagros. Pero es muy importante que haya milagros en nuestra vida si queremos conservar una honda conciencia de la presencia y el poder de Dios. Un milagro, en el sentido religioso de la expresión, no es necesariamente un acontecimiento que contravenga las leyes de la naturaleza, como sería el caso de un fenómeno físico que no necesitara tener un significado religioso. Para que en mi vida se produzca un milagro, me basta contener el profundo convencimiento de que lo ocurrido ha sido producido por Dios, ha sido una intervención directa de Dios en beneficio mío. Cualquier religión que postule la existencia de un Dios personal tiene necesariamente que dar una gran importancia a dos cosas: a la oración de petición y a los milagros. Dios se hace personal para mí cuando yo le grito, cuando no encuentro esperanza alguna en ningún ser humano y cuando Él interviene personalmente para darme fuerzas o para iluminarme y guiarme. Y, si no lo hiciera, no sería un ser personal para *mí*, porque no sería un factor activo en mi vida.

Hoy damos la impresión de estar perdiendo ese sentido de la constante intervención de Dios en nuestras vidas, un sentido que tenían sumamente desarrollado los judíos de los tiempos bíblicos, que por eso fueron hombres de una inmensa fe. Si llovía, era Dios quien hacía llover; por eso no necesitaban andar escudriñando los cambios atmosféricos que anunciaban la lluvia. Si vencían o eran derrotados en una batalla, era Dios quien les hacía vencer o salir derrotados, y difícilmente se les podía ocurrir atribuir el desenlace de la batalla a la destreza o a la negligencia de sus generales. E incluso en el caso de que sus tropas manifestaran falta de valor en el campo de batalla y, consiguientemente, sufrieran una aplastante derrota, era Dios quien debilitaba el ánimo de los soldados arrebatándoles el valor y el arrojo. Toda la atención de los judíos se centraba en la Causa Primera, en Dios, y parecían pasar por alto, sencillamente, las causas segundas.

Por eso les resultaba natural recurrir a Dios para cualquier cosa.

Nuestro caso es justamente el contrario. Si tenemos dolor de cabeza, no tiene objeto que nos arrodillemos y nos pongamos a orar; nos basta con tomar una aspirina. El hombre ha alcanzado la mayoría de edad y, en lugar de malgastar su tiempo orando en la iglesia, construye laboratorios, confía en su propio ingenio e inventa los medicamentos y todo cuanto necesita. Lo cual es una gran cosa, evidentemente, pero no lo es todo. Hemos llegado a conocer de tal modo las causas segundas que Dios ya no tiene lugar en nuestra vida ni en nuestro pensar. Es absolutamente cierto que la aspirina es un estupendo invento, pero es Dios quien nos da la motivación para inventarla. Es igualmente cierto que la aspirina quita el dolor de cabeza, pero la auténtica verdad es que es Dios quien cura por medio de la aspirina; que es su imponente poder el que actúa en la acción curativa o calmante de ese medicamento. Dios es tan necesario en cada acontecimiento y en cada acto de nuestras vidas y de nuestras ciudades modernas como lo fue para los judíos en el desierto. Lo que ocurre es que hemos perdido el sentido de fe que hace posible ver la actuación de Dios detrás de cada causa segunda, ver cómo su mano guía los acontecimientos a través del velo del obrar humano.

Recuerdo que, hace años, leí un artículo en el que dos psiquíatras laicos ofrecían un informe sobre los sacerdotes y religiosos a quienes habían tratado profesionalmente. Y hacían ver que, de las docenas de dichos sacerdotes y religiosos que habían acudido a ellos en busca de ayuda para sus problemas personales, únicamente dos habían llegado a mencionar el nombre de Dios a lo largo de las entrevistas; y, de esos dos, tan sólo uno (un lego, concretamente) había hablado de Dios como de un factor importante en su vida y en su curación. Para todos los demás, parecía como si Dios no tuviera lugar alguno en sus vidas: jamás se referían a Él al hablar de sus más íntimos problemas. ¿No es éste un indicio de hasta qué punto hemos arrumbado a Dios en nuestras vidas, de lo débil que se ha hecho nuestro sentido de fe? Sencillamente, no esperamos que Dios intervenga profunda y directamente en nuestras vidas. Si tenemos un problema psicológico, acudimos al psiquíatra; si padecemos algún mal físico, llamamos al médico... Sin embargo, Jesús parece pensar de muy distinta manera: evidentemente, el panadero era para él un factor muy importante a la hora de obtener el pan de cada día; pero el factor verdaderamente decisivo era nuestro Padre del cielo, y a Él nos dijo que nos dirigiéramos para pedir ese pan.

Si no tenemos fe, ni siquiera pensaremos en dirigirnos a Dios en nuestras necesidades. Y, aun cuando lo hagamos, si no tenemos fe, nuestras oraciones serán ineficaces. Decidme sinceramente: si hicierais una larga lista de peticiones y se la presentarais al Padre del cielo, ¿os sorprendería comprobar que todas ellas eran escuchadas? ¿Por qué? ¿Acaso no habríais dado por supuesto que habríais de obtener todo cuanto pidierais? ¿No os asombra el constatar cuán deficiente es vuestra fe?

La fe no es algo que podamos producir. No debemos *obligarnos* a tener fe: no sería fe en absoluto, sino un ficticio intento de forzarnos a creer. La fe es un don que se le regala a quien se expone a la compañía de Dios. Cuanto más trates con Dios, más fácilmente comprobarás que nada hay imposible para Él. Entonces te convencerás de que Él puede hacer de las piedras hijos de Abraham. Entonces te convencerás de que también puede transformar fácilmente tu propio corazón de piedra; y, en el momento en que dicho convencimiento se afiance, en ese momento comenzará a producirse el cambio en tu corazón.

He ahí, pues, la primera ley de la oración de petición: ha de ir acompañada de una fe inconmovible. Recordadlo: «Si decís a este monte: ''Quítate y arrójate al mar'', así se hará. Y todo cuanto pidáis con fe en la oración, lo recibiréis» (Mt 21,21-22). Aquellos de vuestros problemas que se os antojen enormes montañas no podrán resistir al poder de vuestra fe. Y Jesús añade un detalle sumamente interesante en Mc 11,24: «Por eso os digo: todo cuanto pidáis en la oración, creed que ya lo *habéis* recibido y lo *obtendréis*». Resulta extraño, ¿verdad? Creed que ya lo habéis recibido y lo *obtendréis*. Todavía no lo habéis obtenido, pero debéis orar como si ya lo hubierais obtenido. Ésta es la razón por la que algunas personas mezclan la oración de petición con la acción de gracias. Desean pedir algo, y entonces comienzan agradeciendo a Dios el que ya les haya concedido lo que van a pedir. ¿Cuál es el momento apropiado para empezar a dar gracias? Parece lógico decir que el momento apropiado es cuando ya se ha recibido lo que se pedía. Pues no. El momento apropiado para empezar a dar gracias es cuando Dios ya nos ha dado el convencimiento de que ha escuchado nuestra oración, antes incluso de recibir realmente lo que pedíamos. Cuando alguien te regala un cheque, ¿acaso esperas hasta haberlo hecho efectivo en el banco para agradecérselo? Cuando comprendes que Dios va a darte lo que le pides, ése es el momento de empezar a darle gracias. Recuerdo haber leído el caso de una mujer que pedía ser curada de la artritis y que estuvo tres años dándole gracias a Dios antes de que se produjera la curación, porque estaba convencida de que ésta había de llegar. Por eso, cuando oramos, debemos sintonizar con lo que Dios está diciéndonos y recibir la promesa de su don antes de que éste se produzca. Tal vez fuera esto lo que quería decir san Pablo cuando recomendaba a los filipenses mezclar sus peticiones con la acción de gracias: «El Señor está cerca. No os inquietéis por cosa alguna; antes bien, en toda ocasión presentad a Dios vuestras peticiones mediante la oración y la súplica, acompañadas de la acción de gracias» (Flp 4,5-7). Lo cual es, por cierto, una hermosa fórmula para vivir constantemente en la paz de Dios.

La segunda ley de la oración: el perdón

En el capítulo 11 del evangelio de Marcos, Jesús nos habla de la necesidad de la fe para que nuestra oración sea eficaz. Y en el mismo pasaje insiste en la necesidad de algo más: el perdón: «Y cuando os pongáis de pie para orar, perdonad si tenéis algo contra alguno, para que también vuestro Padre, que está en los cielos, os perdone vuestras ofensas» (Mc 11,25).

Es ésta una ley fundamental de toda oración, en la que insiste Jesús constantemente. Si no perdonamos, no seremos perdonados y nos será imposible unirnos con Dios: «Si, pues, al presentar tu ofrenda en el altar, te acuerdas de que un hermano tuyo tiene algo que reprocharte, deja tu ofrenda allí, delante del altar, y ve primero a reconciliarte con tu hermano; luego vuelve y presenta tu ofrenda» (Mt 5,23-24).

He ahí la principal razón por la que carece de eficacia la oración de muchísimas personas: porque abrigan algún resentimiento en su corazón. Personalmente, he experimentado con frecuencia verdadero asombro al comprobar la cantidad de resentimientos con que viven algunas personas (sacerdotes y religiosos incluidos): resentimientos, especialmente, contra sus superiores por toda clase de injusticias, reales o imaginarias. Dichas personas no son conscientes del daño que ello ocasiona a su vida de oración, a su eficacia apostólica y, en muchos casos, a su propia salud física.

Tales sentimientos de amargura, de odio o de rencor envenenan nuestra persona y nos hacen sufrir. Y, sin embargo, resulta asombroso ver cómo nos aferramos a ellos. A veces preferiríamos desprendernos de algo que poseemos, por muy valioso que sea, antes que renunciar a seguir alimentando el rencor que sentimos contra alguien. Sencillamente, nos negamos a perdonar. Sin embargo, Jesús no acepta nada de esto: ¡si no perdonáis, no tengo nada que ver con vosotros!

Por eso os sugiero que, desde el comienzo mismo de estos Ejercicios, dediquéis el tiempo que sea preciso a averiguar los resentimientos que pueda haber en vosotros y a libraros de ellos. Si no lo hacéis, vuestra oración sufrirá necesariamente las consecuencias. Como digo, no dudéis en dedicarle a ello el tiempo que haga falta, aunque os lleve dos o tres días enteros. Mi consejo sería que hicierais una lista de todas aquellas personas a las que odiéis, contra las que tengáis algún motivo de rencor o a las que os neguéis a amar y perdonar. Puede que a alguno de vosotros no le resulte tan fácil hacer esa lista: si hay algún sentimiento que los sacerdotes solemos reprimir, además de las emociones sexuales, son los sentimientos de odio. Por eso no es infrecuente encontrarse con un sacerdote que te asegura que no odia a nadie y que ama a todo el mundo, pero que inconscientemente revela sus resentimientos y su amargura en su manera de hablar y de actuar. Un modo muy sencillo de descubrir los resentimientos reprimidos que uno alberga en su interior consiste en hacer esa lista de las personas hacia las que uno siente inclinaciones negativas. Y, si ello no da resultado, puede hacerse una lista de las personas de las que uno tiene un concepto poco favorable... o por las que uno siente menos simpatía... o hacia las que uno experimenta evidente antipatía. La lista puede depararnos algunas sorpresas y revelarnos hostilidades o resentimientos insospechados.

Exteriorizar los sentimientos negativos

¿Qué hay que hacer con esa lista? En mi opinión, no conviene apresurarse a perdonar, porque es posible que sólo se consiga reprimir aún más los sentimientos de rencor. Para hacer frente a los resentimientos, muchas veces resulta útil tratar primero de exteriorizarlos. En este sentido, lo ideal sería hablar de ello con la persona interesada y expresarle abiertamente los resentimientos de que es objeto. Desgraciadamente, este ideal no siempre es alcanzable, bien sea porque la persona en cuestión no es accesible, o bien porque, aun cuando lo sea, no está en condiciones de responder de un modo constructivo a la expresión de nuestros resentimientos.

Lo que puede hacerse, entonces, es recurrir a la fantasía para expresar los resentimientos: imaginar que tenemos ante nosotros a la persona en cuestión y que realmente le echamos un «rapapolvo». El perdón no es debilidad ni cobardía. Conocí a un sacerdote que, sencillamente, no se sentía capaz de perdonar y confiar en un colega hacia el que sentía auténtica aversión; el hombre se pasó meses enteros, al parecer inútilmente, pidiendo la gracia de poder perdonar; y cuando, al fin, conseguí convencerle de que se encontrara con aquella persona, en presencia de un tercero que sirviera de elemento catalizador, el perdón afloró con tanta facilidad que el hombre se preguntaba incluso si tenía algo que perdonar. Y recuerdo también el caso de otro sacerdote al que le resultaba muy difícil perdonar a un subordinado que le había hecho sufrir mucho con sus calumnias. El sentimiento de rencor no dejó de afligirle durante meses y, por más que él tratara de apartarlo de su mente, le asaltaba una y otra vez en la oración. Yo conseguí que, mediante una sesión de «psicodrama», hiciera frente a aquella persona en su imaginación e incluso expresara su rabia y su dolor aporreando una almohada. Al concluir aquella sesión, cayó en la cuenta de lo cobarde y lo débil que había sido en su trato con aquel subordinado. La situación no cambió, evidentemente, porque el otro siguió con sus calumnias; pero ahora el sacerdote era emocionalmente capaz de comprender y perdonar a aquella persona. Había exteriorizado su ira, y ésta ya no volvió a afligirle.

No es difícil ver que, tanto en uno como en otro caso, el recurrir precipitadamente a la oración pudo haber agravado el problema, en lugar de aliviarlo. Por eso, y aun cuando recomiende muy de veras, como un medio de perdonar a los demás, las formas de oración que aquí voy a tratar de describir, debo advertiros que éstas no siempre pueden suplir la profunda necesidad emocional (e incluso física, en ocasiones) que tenemos de exteriorizar nuestra hostilidad.

Cómo perdonar por medio de la oración

Supuesto todo lo anterior, he aquí una serie de modos eficaces de obtener la gracia de perdonar y de librarse de los resentimientos:

1. Orar por las personas que nos desagradan. Es lo que Jesús recomendó en el sermón de la montaña. Mientras sigas orando por ellas, tu actitud hacia ellas experimentará una misteriosa transformación: comenzarás a interesarte por ellas, a sentirte positivamente inclinado hacia ellas e incluso a amarlas. Y es siempre más fácil perdonar a las personas a las que amamos y por las que oramos.

2. Ver todas las injusticias cometidas contigo como algo que, por alguna misteriosa razón, es querido y controlado por Dios. No basta con decir: «Dios lo ha permitido». Dios no se limita a «permitir» las cosas, sino que las proyecta y las controla. La pasión de Cristo, ese enorme acto de injusticia humana, no fue únicamente permitida por Dios, si no planeada, querida y predeterminada. Por eso habla Jesús constantemente de que tiene que padecer «para que se cumpla la Escritura». Y Pedro, en Hch 2,22-23, dice: «A Jesús Nazareno, a quien Dios acreditó entre vosotros,… que fue entregado según el determinado designio y previo conocimiento de Dios, vosotros lo matasteis clavándolo en la cruz por mano de los impíos».

Si conseguimos ver, como hizo Jesús, todas las «pasiones» de nuestras respectivas vidas (todas las injusticias, reales o imaginarias, cometidas con nosotros) como algo controlado y predeterminado por Dios, como su voluntad y su plan deliberado, entonces no nos obsesionaremos con las «causas segundas», con las personas que nos han causado daño y dolor, con los Herodes y los Pilatos de nuestras vidas, sino que, más allá de ellos, veremos al Padre, que tiene en sus manos los hilos de nuestras vidas y que ha ordenado ese sufrimiento para nuestro propio bien y para el bien del mundo, y nos será más fácil perdonar a nuestros perseguidores y a nuestros enemigos.

Lo cual, sin embargo, puede originar un problema ulterior: que hagamos a Dios objeto de nuestro resentimiento. Dada nuestra costumbre de reprimir los sentimientos de odio y de ira, a los sacerdotes nos resulta a veces difícil comprender cómo es posible que las personas abriguen profundos sentimientos de rencor hacia Dios cuando les ocurre alguna desgracia: la muerte de un ser querido, la pérdida de la salud, la ruina económica, etc. La verdad es que esas personas comprenden que, de alguna misteriosa manera, «la culpa» es del Señor, que se encuentra detrás de dichas calamidades. Y, aun cuando su fe y su inteligencia les digan que el Señor lo ha hecho por su bien, lo cierto es que su corazón y sus emociones no pueden dejar de sentirse ofendidos con quien, pudiendo haberlas impedido, ha ordenado las mencionadas desgracias. Mi entendimiento puede decirme que la acción del bisturí manejado por el cirujano es para mi propio bien, pero ello no impide que mi cuerpo se resista y aborrezca dicha acción como un mal; pues bien, algo parecido ocurre con el corazón, cuyos sentimientos no siempre pueden ser regidos por la cabeza.

Cuando el resentimiento contra Dios aflora a la superficie, conviene expresarlo en Su presencia, exteriorizar todo el rencor y la ira que se experimentan. Y no os preocupéis por el lenguaje que empleéis. Recuerdo que, en cierta ocasión, me sentía yo profundamente decepcionado porque no obtenía algo que deseaba enormemente, y me enojé con Dios por no concedérmelo. Me enojé con Él hasta el punto de negarme a dirigirle la palabra, de negarme a orar durante dos días. Pueril, si queréis, pero eficaz, porque aprendí verdaderamente a fondo que podía confiar en Dios lo bastante como para expresarle mis resentimientos hacia Él, como tengo costumbre de hacer con mis amigos, a quienes no temo expresar mis sentimientos negativos, porque estoy seguro, por una parte, de que ellos me aman lo bastante como para comprenderme y, por otra, de que el amor entre nosotros ha de crecer como consecuencia de nuestro «encuentro». Si yo no les revelara mis sentimientos negativos, estaría tratándoles con la corrección con que se trata a unos «conocidos», pero no a unos amigos, y estaría exponiéndome a enfriar mis relaciones con ellos, porque los resentimientos que no se exteriorizan suelen roernos por dentro y, a la larga, acaban minando el amor.

No hay por qué tener miedo de decirle a Dios palabras de enfado e incluso profundamente amargas. Así lo hizo alguien tan santo como Job. Lo cual no significa que aquel santo no le tuviera respeto al Señor, sino que, por el contrario, es señal de su intimidad con Dios. Y es muy significativo que, al final, el Señor alabe y elogie a Job, a la vez que censura a los amigos de éste, que se escandalizan de las amargas palabras de Job y le instan a que se culpe a sí mismo, y no al Señor, de todos sus infortunios. A medida que descargamos contra el Señor nuestros sentimientos negativos, éstos van perdiendo progresivamente su virulencia. Al final, nuestro amor aflorará a la superficie y tendremos la dicha de descubrir que la «reyerta» que hemos mantenido con el Señor no sólo no ha minado nuestra relación con Él, sino que la ha hecho aún más profunda. A fin de cuentas, incluso cuando le expreso a alguien mi enojo, estoy estableciendo contacto con él y haciéndole ver cuánto me importa el estar enojado. Si mi relación contigo es frágil y me siento inseguro de ella, no estaré muy dispuesto a mostrarte mi enojo, por temor a perderte. Necesito estar muy seguro de ti y tener mucha intimidad contigo para poder expresarte el enojo que me produces. El enojo es el anverso del amor, y muchas veces no es más que el mismo amor bajo otra apariencia. El reverso del amor no es, pues, el enojo, ni siquiera el odio, sino la frialdad y la indiferencia.

3. Hay otra cosa que también puedes hacer para liberarte de los motivos de queja y de los resentimientos: ponerte en espíritu delante de Cristo Crucificado y mantener tus ojos fijos en esa gran Víctima de la injusticia. No tardarás en sentirte avergonzado de darle tanta importancia a las pequeñas injusticias de que eres objeto tú, que te consideras su discípulo y que has decidido seguirle aceptando de antemano cargar con la cruz como él lo hizo.

He conocido a personas a las que esto les ha hecho sentir no sólo vergüenza por albergar resentimientos, sino también una alegría y una satisfacción inmensas por haber sido consideradas dignas de padecer de algún modo la suerte del

Maestro. Sería estupendo que también vosotros llegarais a sentirlo, porque entonces comprenderíais algo de lo que el propio Maestro dijo en el Sermón del monte: «Dichosos los perseguidos por causa de la justicia... Dichosos seréis cuando os injurien, os persigan y digan toda clase de mal contra vosotros por mi causa. Alegraos y regocijaos...» (Mt 5,10-12). Y comprenderéis también el secreto de aquellos santos que sintieron tal gozo cuando se vieron humillados sin haber dado motivos para ello, que sintieron tal agradecimiento hacia sus «perseguidores» que supieron verlos como a sus bienhechores. Ahora bien, aseguraos de que no os imponéis forzadamente tales sentimientos, porque, si lo hacéis, no serán demasiado duraderos y no servirán más que para volver a dejaros desanimados y llenos de resentimiento. Bastará con que permanezcáis junto al Crucificado y comprendáis que las injusticias de que habéis sido objeto son parte del precio que habéis de pagar por seguirle. Algún día, cuando os hayáis acercado aún más a él, él os dará la gracia de descubrir el gozo en la crucifixión y de estallar en alabanzas y en cánticos, en lugar de prorrumpir en airadas y amargas palabras.

En toda esta serie de ejercicios destinados a adquirir la capacidad de perdonar, he dado por supuesto que sois víctimas inocentes de la injusticia. Lo cual, sin embargo, es mucho suponer en la mayoría de los casos, porque muy frecuentemente nosotros mismos somos responsables, al menos en alguna medida, de las injusticias que padecemos. Lo que ocurre es que nos resulta muy difícil aceptar, e incluso ver, esa responsabilidad. No obstante, yo tengo la esperanza de que, una vez que hayamos exteriorizado nuestros resentimientos y nuestros sentimientos negativos y recurrido a la oración, habrá de sernos más fácil perdonar cuando nos sea solicitado el perdón.

Hasta aquí hemos hablado de dos de las leyes que rigen el arte de orar. Lo cual significa que hay otras leyes, pero prefiero dejarlas para otra ocasión, al objeto de no alargar demasiado esta charla. Ahora bien, soy de la opinión de que ninguna de esas otras leyes posee el inmenso valor de las dos a que nos hemos referido, porque nada hay tan importante para la oración como la fe y el perdón. Os he ofrecido una serie de ejercicios referentes al perdón que podéis practicar, y os he explicado la importancia de la fe, de manera que tengáis suficiente «tarea» para las horas que habéis de dedicar hoy a la oración. Os exhorto a que aceptéis las palabras de Jesús acerca del poder y la eficacia de la oración con la sencillez de los niños, para que el reino de los cielos se abra ante vosotros.

Quisiera concluir esta charla con una conmovedora historia que solía contar Ramakrishna a sus discípulos para ilustrar cómo debe ser esa sencilla e «infantil» fe que el Señor espera de nosotros cuando nos acercamos a Él en la oración:

En una aldea bengalí vivía una pobre viuda cuyo único hijo tenía que atravesar la jungla todos los días para asistir a la escuela, que se encontraba en una aldea vecina. De modo que el muchacho le dijo un día a su madre: «Madre, me da miedo atravesar la jungla yo solo. ¿Por qué no envías a alguien conmigo?» Y la madre le respondió: «Hijo mío, somos demasiado pobres para permitirnos el lujo de tener un criado que te acompañe a la escuela. Pide a tu hermano Krishna que te acompañe: él es el Señor de la jungla y escuchará tu oración». Y así lo hizo el muchacho, que al día siguiente caminó hasta el borde de la jungla y llamó a su hermano Krishna, el cual le contestó: «¿Qué quieres, hijo mío?» «¿Querrías venir conmigo todos los días a la escuela», le dijo el muchacho, «y acompañarme de vuelta a casa a través de esta jungla?» «Sí», le respondió el Señor Krishna, «tendré mucho gusto en hacerlo por ti». Y, desde entonces, Krishna esperaba cada mañana y cada tarde a su pequeño protegido y lo acompañaba a través de la jungla.

Llegó el día del cumpleaños del maestro, en que se suponía que cada niño debía hacerle un regalo. La viuda le dijo a su hijo: «Somos demasiado pobres, hijo mío, para permitirnos el lujo de hacerle un regalo de cumpleaños al maestro. Pide a tu hermano Krishna que te lo dé». Krishna le dio una jarra llena de leche al muchacho, el cual, muy ufano, se dirigió a la casa del maestro y dejó la jarra a los pies de éste, junto a los regalos que habían llevado los demás niños. Pero el maestro no prestó atención a aquella humilde ofrenda, y al cabo de un rato el muchacho empezó a lloriquear y a quejarse con la espontaneidad que es propia de un niño: «¡Nadie le presta atención a mi regalo... nadie se fija en él...!» Hasta que el maestro le dijo a su criado: «¡Por amor de Dios, lleva esa jarra a la cocina, o no acabará nunca de darnos la murga!» El criado tomó la jarra, vertió el contenido de la misma en un cuenco y se disponía a devolver la jarra al muchacho cuando, para su asombro, vio que la jarra volvía a estar llena de leche. La vació de nuevo, pero otra vez volvió a llenarse la jarra ante sus asombrados ojos, como la orza de aceite de la viuda de Sarepta que dio de comer al profeta Elías.

Cuando el maestro vio aquel milagro, llamó al muchacho y le dijo: «¿De dónde has sacado esa jarra?» «El hermano Krishna me la dio», respondió el muchacho. «¿El hermano Krishna? ¿Y quién es ese hermano tuyo llamado Krishna?» «Es el Señor de la jungla, que me acompaña todos los días de mi casa a la escuela y de la escuela a mi casa». El maestro, que no daba crédito a sus oídos, le dijo al muchacho: «Vamos a ir todos a ver a tu hermano Krishna»; y, seguido de sus criados y de los demás alumnos de la escuela, marchó con el muchacho hasta el borde de la jungla y, una vez allí, le dijo: «Llama a tu hermano Krishna. Queremos verlo».

El muchacho comenzó entonces a llamar a Krishna: «¡Hermano Krishna... hermano Krishna...!» Pero el Señor, que siempre había acudido sin tardanza a la llamada de su pequeño amigo, no respondía. La jungla estaba en el más absoluto silencio, y no se oía más que el eco de la voz del muchacho llamando en vano a su hermano Krishna. Al fin, el pobre muchacho, anegado en lágrimas, gritó: «¡Hermano Krishna, ven, por favor! ¡Si no vienes, no van a creerme... y dirán que soy un mentiroso! ¡Ven, por favor, hermano Krishna!» Entonces, por fin, oyó el muchacho la voz del Señor, que le decía: «No puedo ir, hijo mío. El día que tu maestro tenga tu fe de niño y tu sencillo y puro corazón, ese día iré».

La primera vez que leí esta historia, me emocionó enormemente, porque me recordó las relaciones de Jesús con sus discípulos. Sólo los que tuvieron fe habían de ver al Señor resucitado. Nosotros decimos: «Que se me aparezca primero a mí, y entonces creeré. De lo contrario, ¿cómo sabré si es real o no es más que producto de la autosugestión?» Pero al Señor no parece interesarle ayudarnos a resolver semejante problema. Lo que él dice es: «Primero creed, y entonces veréis. No tenéis más que creer, y nada os resultará imposible».

6

La oración de petición
y sus leyes

Entre los escritos de los Padres del Desierto hay una serie de homilías atribuidas a Macario de Egipto, en una de las cuales, realmente deliciosa, afirma Macario que aun el más grande de los pecadores puede aspirar a ser místico, con tal de que se aparte del pecado y confíe en el Señor. He aquí un alentador párrafo de dicha homilía: «...porque hasta un niño, con toda su debilidad y su incapacidad para acercarse a su madre por su propio pie, puede, no obstante, llamar su atención gritando y llorando, movido por su deseo. Y entonces la madre se compadece de él, a la vez que se siente complacida por el hecho de que el pequeño la desee de tal modo. Y, como él no puede ir hacia su madre, ella, obedeciendo a los deseos del niño y a su propio amor de madre, lo toma en sus brazos, lo acaricia tiernamente y le da el pecho. Pues bien, con el mismo amor se comporta Dios con el alma que acude a Él y suspira por Él».

Con esta comparación refleja admirablemente Macario la doctrina de Jesús acerca de la oración. Hay esperanza para todos nosotros, porque Dios no anda inquiriendo acerca de si somos dignos o no lo somos, ni se dedica a indagar en nuestra vida pasada en busca de fallos e infidelidades. Basta con que, por nuestra parte, a) le hagamos saber, a gritos si hace falta, cuánto le deseamos; b) nos sintamos incapaces de obtener lo que queremos; y c) creamos firmemente que Él hará por nosotros lo que no podemos hacer por nosotros mismos.

El poder de la oración: Narada

La literatura hindú contiene hermosas historias que pueden ayudarnos a ilustrar la doctrina de Jesús. Una de ellas refiere cómo el sabio Narada, peregrinando en cierta ocasión al templo del Señor Vishnú, se detuvo una noche en una aldea en la que fue amablemente acogido por uno de sus pobres habitantes y por su mujer. Cuando el aldeano supo que Narada se dirigía en peregrinación al templo de Vishnú, le dijo: «¿Querrás pedirle al Señor que nos conceda descendencia? Mi mujer y yo deseamos enormemente tener hijos, pero hasta ahora el Señor no nos los ha concedido». Tras prometerle que intercedería por ellos, Narada partió de allí, llegó al templo y presentó al Señor Vishnú la petición del aldeano. Pero el Señor se mostró sumamente lacónico: «No está escrito en el destino de ese hombre que haya de tener hijos». Narada aceptó dócilmente la respuesta del Señor y regresó a su casa. Cinco años más tarde, peregrinando de nuevo al mismo templo, volvió a recabar la hospitalidad de aquel sencillo aldeano, el cual se la ofreció gustoso. Pero esta vez se sorprendió al ver a tres niños jugando en el patio. «¿De quién son estos niños?», preguntó Narada. «Míos», le respondió el aldeano. «De modo que, al final, el Señor acabó dándote hijos...», dijo Narada. «Sí», replicó el aldeano, «hace cinco años, poco después de marcharte tú, pasó por la aldea un santo que nos bendijo a mí y a mi mujer y oró por nosotros. El Señor escuchó su oración y nos concedió estas tres preciosas criaturas». Lleno de asombro, a Narada le faltó tiempo al día siguiente para acudir al templo; y, una vez allí, lo primero que hizo fue decirle al Señor: «¿No me dijiste que no estaba escrito en el destino de ese hombre que hubiera de tener hijos? ¿Cómo es que ha tenido tres?» Cuando el Señor Vishnú oyó aquello, soltó una carcajada y dijo: «Ha debido de ser cosa de algún santo. ¡Los santos tienen el poder de cambiar el destino!»

Una curiosa historia, ¿no es verdad? Yo también lo creía, hasta que, de pronto, recordé una historia similar: «Mujer, aún no ha llegado mi hora». Y luego, de un modo misterioso, llega su hora y realiza el milagro de transformar el agua en vino. ¿No demostró entonces María el poder de la oración de petición para cambiar el destino? «La oración del justo», dice Santiago (5,16-18), «tiene mucho poder. Elías, que era un hombre de igual condición que nosotros, oró insistentemente para que no lloviese, y no llovió sobre la tierra durante tres años y seis meses. Después oró de nuevo, y el cielo dio lluvia y la tierra produjo su fruto».

Hay una historia muy parecida a la de Narada en el capítulo 20 del Libro Segundo de los Reyes. Ezequías había caído enfermo de muerte y recibió la visita del profeta Isaías con este mensaje del Señor: «Pon tus asuntos en orden, porque vas a morir y no a recobrar la salud». Ezequías volvió entonces su rostro hacia la pared y oró al Señor de este modo: «Recuerda, Señor, te lo ruego, que te he sido fiel toda mi vida, que te he servido con un corazón puro y he hecho siempre tu voluntad». Y Ezequías lloró abundantes lágrimas, tras de lo cual, y antes de que Isaías hubiera salido del patio central, le fue dirigida la palabra del Señor: «Vuelve y dile a Ezequías, jefe de mi pueblo: ''Así habla el Señor, el Dios de tu padre David: he oído tu oración y he visto tus lágrimas, y he decidido curarte. Dentro de tres días subirás al templo del Señor, y yo añadiré quince años a tu vida...''» He aquí otro ejemplo del poder de la oración para cambiar el destino. ¿Puede haber algo más definitivo que una palabra del Señor a través de su profeta? ¿Qué apelación cabe ante ella? ¿Cómo puede uno hacer que el Señor cambie de parecer...? Y, sin embargo, la oración realiza lo imposible. Nada es imposible para Dios; consiguientemente, nada es imposible para la oración de petición realizada tal como Jesús nos enseñó a hacerlo.

Con bastante frecuencia, escucho esta objeción por parte de los ejercitantes: «¿Cómo es posible hacer que cambie la intención de Dios? La voluntad de Dios no puede cambiarse...» Ésta es una objeción filosófica para la que yo no tengo respuesta. No puedo explicar cómo puede la oración cambiar la voluntad de Dios, del mismo modo que tampoco puedo explicar cómo Dios se hizo hombre o cómo está presente Cristo en el Santísimo Sacramento. Éstos son misterios que nuestra mente humana jamás podrá comprender satisfactoriamente. Nos basta con saber que Jesús nos dijo claramente que lo que pidiéramos nos sería concedido; no esperaba que asintiéramos fatalísticamente a lo que podemos considerar que es el «destino» o «la voluntad de Dios», sino que quería que pidiéramos y recibiéramos, que buscáramos y halláramos, que llamáramos y se nos abriera la puerta. Así pues, nos basta con eso para lanzarnos y descubrir, para nuestro asombro y nuestro deleite, que, a pesar de las objeciones de carácter filosófico, la doctrina de Jesús sobre la oración es cierta; que la oración «funciona», como pudo comprobarlo María en Caná, o Ezequías ante la profecía de Isaías.

La Biblia ofrece constantes ejemplos de este inefable misterio de la complacencia de Dios en permitir que la oración de los suyos cambie Su voluntad. Oigamos lo que dice el profeta Amós: «Esto me dio a ver el Señor Yahvéh: he aquí que Él formaba langostas cuando empezaba a brotar el retoño, el retoño después de la siega del rey. E iban ya a devorar la hierba de la tierra cuando yo dije: ''¡Perdona, por favor, Señor Yahvéh! ¿Cómo va a resistir Jacob, que es tan pequeño?'' *Y arrepintiose Yahvéh de ello:* «No será», dijo Yahvéh. Y esto también me dio a ver el Señor Yahvéh: he aquí que convocaba al juicio por el fuego el Señor Yahvéh; el fuego devoró el gran abismo, y estaba ya devorando la parcela cuando yo dije: ''¡Señor Yahvéh, cesa, por favor! ¿Cómo va a resistir Jacob, que es tan pequeño?'' *Y arrepintiose Yahvéh de ello:* ''Tampoco eso será'', dijo el Señor Yahvéh» (Am 7,1-6).

En el capítulo 32 del libro del Éxodo, Moisés mantiene un largo debate con Dios, cuya voluntad consigue finalmente cambiar: «Y dijo Yahvéh a Moisés: "Ya veo que este pueblo es un pueblo de dura cerviz. Déjame ahora que se encienda mi ira contra ellos y los devore; de ti, en cambio, haré un gran pueblo." Pero Moisés trató de aplacar a Yahvéh, su Dios... *Y Yahvéh renunció* a lanzar el mal con que había amenazado a su pueblo» (Ex 32,9-14). Y el libro del Génesis (18,16-32) muestra cómo Abraham trata de hacer lo mismo con Dios, intercediendo en favor de las ciudades de Sodoma y Gomorra: «Yahvéh se había dicho: "¿Voy a encubrir a Abraham lo que voy a hacer, siendo así que Abraham ha de convertirse en una nación grande y poderosa?" (...) Dijo, pues, Yahvéh: "Grande es el clamor de Sodoma y Gomorra, y su pecado gravísimo..." Y, acercándose, dijo Abraham: "¿De veras vas a aniquilar al justo con el malvado? Tal vez existan cincuenta justos dentro de la ciudad. ¿De veras vas a aniquilarlos? ¿No perdonarás al lugar en atención a los cincuenta justos que puede haber en él?" (...) Y dijo Yahvéh: "Si encuentro en Sodoma cincuenta justos dentro de la ciudad, perdonaré a todo el lugar en atención a ellos." (...) Dijo entonces [Abraham]: "Ea, no se enfade mi Señor si sigo hablando: tal vez se encuentren allí treinta..." Y respondió [Yahvéh]: "No lo haré si encuentro allí treinta." Prosiguió [Abraham]: "En verdad es atrevimiento el mío al hablar a mi Señor: tal vez se encuentren allí veinte..." Respondió [Yahvéh]: "No la destruiré en atención a los veinte." Dijo [Abraham]: "Vaya, no se enfade mi Señor, y hablaré sólo esta vez: quizá se encuentren allí diez..." Y dijo [Yahvéh]: "No la destruiré en atención a los diez."»

Sean cuales fueren nuestras objeciones filosóficas, lo cierto es que la Biblia nos muestra a un Dios absolutamente dispuesto a dejarse influir por las oraciones de aquellos a quienes ama; un Dios que revelará sus propios planes a sus profetas precisamente para que éstos le obliguen a cambiar sus planes y sus intenciones con el poder de sus plegarias; un Dios que por propia voluntad se ha sometido a la poderosa fuerza de la oración perseverante.

La «teología» de la oración de petición

La oración de petición es la única forma de oración que Jesús enseñó a sus discípulos; de hecho, es prácticamente la única forma de oración que se enseña explícitamente a lo largo de toda la Biblia. Ya sé que esto suena un tanto extraño a quienes hemos sido formados en la idea de que la oración puede ser de muy diferentes tipos y que la forma de oración más elevada es la oración de adoración, mientras que la de petición, al ser una forma «egoísta» de oración, ocuparía el último lugar. De algún modo, todos hemos sentido que más tarde o más temprano hemos de «superar» esta forma inferior de oración para ascender a la contemplación, al amor y a la adoración, ¿no es cierto?

Sin embargo, si reflexionáramos, veríamos que apenas hay forma alguna de oración, incluida la de adoración y amor, que no esté contenida en la oración de petición correctamente practicada. La petición nos hace ver nuestra absoluta dependencia de Dios; nos enseña a confiar en Él absolutamente. Algunos dicen: «Nuestro Padre celestial sabe perfectamente lo que necesito y, si se ocupa de las aves del cielo y de los lirios del campo, con mayor razón habrá de ocuparse de mí. Esto nos lo dijo Jesús con absoluta claridad. Por eso yo no malgasto mi tiempo pidiendo al Padre lo que Él ya sabe que necesito y Él desea darme, se lo pida yo o no.» La doctrina que encierra este argumento es correcta, pero la conclusión no lo es. Efectivamente, Jesús nos dice que su Padre se ocupa de las aves del cielo y de los lirios del campo; pero la conclusión a la que él llega no es: «No pidáis» (porque él mismo no deja de insistir en que debemos pedir), sino: «¡No os preocupéis!» ¿Puede haber algo más absurdo (según la lógica del citado argumento) que el pedir al Señor que envíe obreros a su mies? ¿Acaso no es la mies del Señor? ¡Ya sabe Él que necesita obreros, y seguro que habrá de enviarlos a sus campos! Sin embargo, Jesús insiste en que pidamos el envío de dichos obreros. Una vez más, volvemos a encontrar aquí esa actitud de Dios, que ha querido someterse al poder de la oración, hasta el punto de que parece *necesitar* las oraciones de los hombres para que se desencadene Su poder. Debo repetir, por tanto, que la confianza en el Señor no significa prescindir de la oración de petición. Significa hacer llegar al Señor nuestra petición. Aseguraos de que así lo hacéis... y dejadlo luego todo en sus manos, confiando en que Él se hará cargo de todo y habrá de hacer que todo salga como es debido. Por eso es por lo que ya no hay que preocuparse. San Pablo lo expresa de un modo admirable: «El Señor está cerca. No os inquietéis por cosa alguna; antes bien, en toda ocasión, presentad a Dios vuestras peticiones mediante la oración y la súplica, acompañadas de la acción de gracias. Y la paz de Dios, que supera todo conocimiento, custodiará vuestros corazones y vuestros pensamientos en Cristo Jesús» (Flp 4,5b-7).

En la charla anterior ya os expliqué algo de la teología de la oración de petición, alguna de las razones por las que la petición y los milagros son necesarios: porque hacen que Dios sea algo real en nuestras vidas. Dios es un Dios activo y solícito, un Dios que interviene y se preocupa, no una deidad distante que se desinterese olímpicamente del devenir concreto de nuestras vidas. Pero hay además otra razón por la que Jesús daba tanta importancia a la oración de petición; una razón que se resume en estas palabras suyas: «sin mí no podéis hacer nada.» Ejercitándonos incesantemente en la oración de petición y experimentando constantemente sus efectos en nuestras vidas, constataremos «experiencialmente» nuestra dependencia de Dios y nuestra necesidad de Él. Estamos obligados a «vivir» esta necesidad de Dios.

El Concilio de Trento expresó perfectamente esta teología cuando dijo: «Dios no nos ordena hacer lo que es imposible, sino hacer únicamente lo que nos es posible y pedir lo que nos resulta imposible.» Y el Concilio de Orange es aún más explícito y desciende más al detalle: «Si nuestros pensamientos son rectos y nuestros actos evitan el pecado, es por puro don de Dios; porque siempre que realizamos una acción buena, es Dios quien actúa en nosotros y con nosotros, haciéndonos Él actuar» (canon 9). «Incluso aquellos que han nacido a una nueva vida, aun los más íntegros, *han de implorar siempre la asistencia divina* para poder alcanzar su perfección definitiva o, simplemente, para perseverar en el bien» (canon 10). «Todo cuanto de verdad y de bien hay en el hombre proviene de esta divina fuente, a la cual debemos acudir constantemente en este desierto, a fin de que, con el solaz y el frescor que proporciona, obtengamos el vigor necesario para no desfallecer en el camino» (canon 22).

El cristiano debe estar profundamente convencido de que la religión no es algo que nosotros podamos *hacer*, ni siquiera algo que podamos hacer por Dios. La religión es lo que Dios hace por nosotros, en nosotros y a través de nosotros, de tal modo que nuestros esfuerzos y deseos y aun nuestra «cooperación con la gracia» son puro don de Dios. Tenía razón Simone Weil cuando decía que lo malo de los marxistas (y, por extensión, de todos los humanistas que todo lo reducen al hombre y a sus capacidades y no dejan lugar a Dios) es que esperan elevarse en el aire a fuerza de caminar inexorablemente hacia adelante. Pero el caminar hacia adelante no servirá más que para hacerte volver, tarde o temprano, al punto de partida; por mucho y muy enérgicamente que camines, no conseguirás elevarte en el aire ni siquiera medio metro. Por eso es necesaria la intervención de Dios; y Jesús se cercioró de que no lo olvidáramos nunca, insistiendo en que no dejáramos de pedirle a Dios absolutamente todo: la venida de su Reino, el envío de obreros a su mies y hasta nuestras más elementales necesidades materiales, incluido el pan de cada día. Si hiciéramos esto con más frecuencia, saborearíamos esa «paz de Dios que supera todo conocimiento» a la que se refiere Pablo.

Os recomiendo encarecidamente que en estos días leáis las cartas de Pablo a los Romanos y a los Gálatas, donde está admirablemente expuesta toda la teología de la oración de petición, porque en dichas cartas desarrolla Pablo de manera maestra la teología de nuestra absoluta dependencia de Dios. Debemos hacernos como niños ante Dios. El niño no «se gana» su sustento; sus padres lo aman, y él es digno de su amor y solicitud y de su interés en satisfacer todas sus necesidades, no por lo que él *haga,* sino por lo que *es:* su hijo. No tiene más que manifestar sus necesidades para que éstas se vean satisfechas por sus amantes padres. No hay nada más patético que ver a un niño preocupado e inquieto por su crecimiento, su desarrollo y su supervivencia; un niño que tratara de crecer a base de estirarse, en lugar de apoyarse confiadamente en sus padres.

Pero no quisiera que salierais de aquí con la idea de que ésta es una «teología del perezoso», de que la oración nos dispensa de todo tipo de esfuerzo. Orar a Dios y no andar preocupado no significa dejar de esforzarse por alcanzar lo que uno espera obtener de Dios. Por supuesto que el Señor alimenta a las aves del cielo, pero no les pone la comida en el pico, sino que espera que ellas la busquen, que se esfuercen por alcanzar lo que Él les da. En este sentido, el secreto consiste en esforzarnos como si todo dependiera de nosotros y confiar en Dios como si todo dependiera de Él. Lo cual es difícil de lograr. El hombre que trabaja esforzadamente no tarda en sentir la tentación de fiarse más de su propio esfuerzo que de la gracia y la bendición de Dios. El constructor de la casa debe trabajar incansablemente, reparar en todos los detalles y no dejar nada al azar; pero, al mismo tiempo, debe ser vivamente consciente de que, si el Señor no construye la casa, todos sus esfuerzos son inútiles. Las autoridades deben emplear todos los medios de que dispongan para proteger y guardar la ciudad, pero deben también tener un profundo sentido de que es el Señor quien guarda la ciudad, y no los ingenios tecnológicos que ellos han creado. Hemos de emplear todos esos ingenios humanos, pero no confiar ni apoyarnos en ellos; nuestra confianza ha de estar puesta únicamente en el Señor. Los medios humanos son necesarios, pero también son insuficientes; hemos de desarrollar la capacidad de percibir cómo actúa en ellos el poder del Señor.

7
Más «leyes» de la oración

En la anterior charla comenzábamos a ver lo que yo llamaba las «leyes de la oración», y nos referíamos a las dos primeras: la fe y el perdón. Veamos ahora otras cuatro.

1. A-mundanidad

Dice Santiago en su carta: «No tenéis, porque no pedís. Pedís y no recibís, porque pedís mal, con la intención de malgastar en vuestras pasiones. ¡Adúlteros!, ¿no sabéis que la amistad con el mundo es enemistad con Dios? Cualquiera, pues, que desee ser amigo del mundo se constituye en enemigo de Dios» (4,2ss).

El hombre que busca el placer a toda costa no puede esperar que Dios sea su cómplice en su ansia de placer. El desear el placer, incluso el placer sensual, es algo bueno. Sin placer, la vida sería monótona e insípida. Lo que es reprensible es el ansia desordenada de placer, la búsqueda obsesiva de cosas superfluas y el culto al dinero que puede proporcionárnoslas.

Jesús aboga en favor de una vida sencilla, libre de lujos y de riqueza. Lo que nos dice que pidamos es el pan de cada día, el sustento cotidiano, no las superfluidades que abarrotan los mercados de nuestra sociedad de consumo. Y es que Jesús es muy consciente de los peligros de las riquezas, y por eso llega a decir que quien ama el dinero ha dejado, automáticamente, de amar a Dios: son dos amores que, sencillamente, no pueden coexistir en un corazón humano.

Consiguientemente, si son ésas las cosas que pedimos a Dios, no debería sorprendernos que Dios no escuche nuestras plegarias. Más aún: si son ésas las cosas por las que vivimos (aun cuando las dejemos fuera del ámbito de nuestra oración), es muy probable que nuestras plegarias ante el Señor sean del todo ineficaces. Jesús insistió en que buscáramos el Reino de Dios y su justicia, no el consuelo y las cosas placenteras de este mundo.

2. Generosidad

Quien espere que Dios sea generoso con él debe, a su vez, ser generoso con el prójimo. «Dad», dice Jesús, «y se os dará: os verterán una medida generosa, colmada, remecida, rebosante. La medida que uséis la usarán con vosotros» (Lc 6,38).

Si sois tacaños y calculadores con los pobres y con los menesterosos, con quienes solicitan vuestra ayuda y vuestros servicios, ¿cómo podéis esperar que Dios sea generoso con vosotros?

3. Orar en el nombre de Jesús

Es ésta una práctica que Jesús aconseja a sus apóstoles cuando les anima a pedir al Padre lo que necesitan. «Yo os aseguro: el que crea en mí, también él hará las obras que yo hago, y mayores aún; porque yo voy al Padre, *y todo lo que pidáis en mi nombre* yo lo haré, para que el Padre sea glorificado en el Hijo. Si pedís algo en mi nombre, yo lo haré... Os he destinado a que vayáis y deis fruto, y un fruto que permanezca; de modo que *todo lo que pidáis al Padre en mi nombre* os lo conceda... Aquel día no me preguntaréis nada. Yo os aseguro: lo que pidáis al Padre en mi nombre, os lo dará. Hasta ahora nada le habéis pedido en mi nombre. Pedid y recibiréis, para que vuestro gozo sea colmado» (Jn 14,12-14; 15,16; 16,23-24).

Es de estas palabras, indudablemente, de donde la Iglesia aprendió a dirigir sus oraciones al Padre «por Jesucristo nuestro Señor» y «en el nombre de Jesucristo, tu Hijo...» Y sería bueno que la imitáramos en este punto si queremos que nuestras oraciones tengan eficacia ante el Padre. Orar en el nombre de Jesús significa confiar en la influencia que él tiene en el Padre, en su capacidad de intercesión, en el amor que el Padre le tiene y en su deseo de agradarle y darle todo cuanto le pida. Significa tener una enorme confianza en que el Padre ciertamente hará todo cuanto Jesús quiera pedirle. Y significa, además, pedir cosas acordes con la mente y el espíritu de Jesús. Orar en el nombre de Jesús, por lo tanto, significa que no hemos de pedir lo que él nunca pediría al Padre. Ahora bien, Jesús jamás pidió riquezas ni honores ni pompa ni dignidad... Por eso es difícil comprender cómo podemos nosotros, orando en su nombre, pedir esas cosas u otras parecidas.

4. Insistencia

De todas las leyes que estamos enumerando, tal vez sea ésta, después de la de la fe y la del perdón, la más importante y en la que más insistió Jesús, el cual nos dice explícitamente que no basta con pedir algo una sola vez, sino que hemos de perseverar en la oración, pedir una y otra vez, incesante e incansablemente, hasta conseguir que el Padre nos escuche y nos conceda lo que le pedimos. Fijémonos en los dos ejemplos que nos da al respecto.

El primero es del evangelio de Lucas: «Si uno de vosotros tiene un amigo y, acudiendo a él a medianoche, le dice: "Amigo, préstame tres panes, porque ha llegado de viaje un amigo mío y no tengo qué ofrecerle", y el otro, desde dentro, le responde: "No me molestes; la puerta ya está cerrada, y mis hijos y yo estamos acostados; no puedo levantarme a dártelos'', os aseguro que, si no se levanta a dárselos por ser su amigo, al menos se levantará por su importunidad y le dará cuanto necesite. Yo os digo: ''Pedid y se os dará''» (Lc 11,5-9a). Jesús nos insta positivamente a orar con esa misma actitud, negándonos a aceptar un «no» por respuesta, insistiendo en pedir sin sentir vergüenza por ello. En realidad, lo que nos dice es que, «aun cuando Dios parezca hacer oídos sordos a vuestra oración, no os rindáis. No sintáis vergüenza. Insistid. Seguid llamando. ¡No dejéis de presionarle!»

El segundo ejemplo, que aparece también en el evangelio de Lucas, fue explícitamente dado por Jesús para inculcar la perseverancia y la insistencia en la oración: «Les decía una parábola para inculcarles que era preciso orar siempre sin desfallecer: ''Había un juez en una ciudad que ni temía a Dios ni respetaba a los hombres. Y había en aquella ciudad una viuda que, acudiendo a él, le dijo: '¡Hazme justicia contra mi adversario!' Durante mucho tiempo no quiso, pero después se dijo así mismo: 'Aunque no temo a Dios ni respeto a los hombres, como esta viuda me causa molestias, le voy a hacer justicia para que no venga continuamente a importunarme'''. Dijo, pues, el Señor: ''Oid lo que dice el juez injusto; y Dios, ¿no hará justicia a sus elegidos, que están clamando a él día y noche, y les va a hacer esperar?''» (Lc 18,1-7). El mensaje es suficientemente claro. ¿Puede haber una situación más desesperada que la de una pobre viuda sin influencias, sin ningún tipo de resortes que mover, frente a un juez absolutamente cruel e insensible? Pues bien, aun en una situación tan desesperada como ésta, la súplica insistente acaba venciendo. Y si esto ocurre con un juez insensible, ¿qué no ocurrirá con el Padre tierno y compasivo? Si muchas veces no conseguimos lo que pedimos, es porque pedimos durante un rato, pero nos cansamos de hacerlo cuando vemos que no lo logramos inmediatamente. Hemos de tomar muy en serio la lección que Jesús nos da; hemos de ser como la viuda, que no se cansó de dar la lata y consiguió aburrir al juez con su insistencia.

Un admirable ejemplo en este sentido nos lo da la mujer cananea del capítulo 15 de san Mateo, que no se desanimó a pesar de todos los desaires de que fue objeto por parte de Jesús: «Una mujer cananea, saliendo de aquella región, se puso a gritar: ''¡Ten piedad de mí, Señor, hijo de David! ¡Mi hija está malamente endemoniada!'' Pero él no le respondió palabra. Entonces los discípulos, acercándose, le rogaron: ''Concédeselo, que viene gritando detrás de nosotros''. Respondió él: ''No he sido enviado más que a las ovejas perdidas de la casa de Israel''. Ella, no obstante, fue a postrarse ante él y le dijo: ''¡Señor, socórreme!'' Él respondió: ''No está bien tomar el pan de los hijos y echárselo a los perros''. ''Sí, Señor'', repuso ella, ''que también los perros comen las migajas que caen de la mesa de sus amos''. Entonces Jesús le dijo: ''Mujer, grande es tu fe; que te suceda como deseas''. Y desde aquel momento quedó curada su hija» (Mt 15,21-28).

El diálogo es tan elocuente que no requiere comentario. Lo que hay aquí es más parecido a una porfía que a la oración tal como solemos concebirla. Y ello me hace recordar una historia que leí hace tiempo acerca de un sucesor de san Antonio, el abad Sisoes, que, siendo ya un anciano, se enteró de que uno de sus discípulos, Abraham, había caído en pecado. Sisoes se puso entonces a orar delante de Dios y le dijo: «Señor, te guste o no, no pienso marchar de aquí hasta que le hayas curado». ¡Y su oración fue escuchada inmediatamente! El asunto resulta extraño... hasta que uno cae en la cuenta de que justamente esto fue lo que hizo la mujer cananea y lo que provocó la admiración de Jesús.

La petición: una forma de vida

Las palabras de Jesús acerca de la oración resultan verdaderamente simples: «Pedid y recibiréis». ¡Encantadoramente simples...! Pero por debajo de esa simple fórmula subyace toda una forma de vida: una vida de fe, de perdón del hermano, de generosidad con los necesitados, de a-mundanidad, de absoluta confianza y dependencia de Dios. La petición no es tan sólo una forma de oración, sino toda una forma de vida. Y cuando conseguimos comprender esto, entonces adquieren auténtica credibilidad las palabras de Jesús acerca de la tremenda eficacia de la oración.

¿Cuánto debemos pedir? ¿Qué lugar debemos conceder a la petición en nuestra vida de oración? Es difícil decirlo. En este punto, cada cual habrá de estar atento a lo que le inspire el Espíritu. Pero lo cierto es que nuestra vida de oración debería seguir una especie de «dieta equilibrada» en la que tuvieran cabida las diversas formas de oración: la adoración y la contemplación, la meditación y los sacramentos, la lectura de la Escritura y la intercesión; y, por supuesto, la petición. El Espíritu nos dirá cuándo debemos insistir en una u otra forma de oración: sigamos sus inspiraciones y tengamos en cuenta nuestras propias necesidades. Pero una cosa debemos tener muy clara: nunca nos libraremos de la necesidad de practicar la simple oración de petición. Por mucho que progresemos en la oración y en la contemplación, por muy santos que lleguemos a ser, la oración de petición siempre será para nosotros algo ineludible y de lo que jamás podremos dispensarnos, porque siempre tendremos que decir: «Padre nuestro que estás en el cielo, santificado sea tu nombre, venga a nosotros tu Reino... Danos hoy nuestro pan de cada día, perdona nuestras ofensas... no nos dejes caer en la tentación...»

Éste es el verdadero escándalo de la oración cristiana, del tipo de oración que Cristo nos enseñó: que constituye prácticamente la única forma de oración que no tiene sentido, desde un punto de vista meramente humano. La meditación y la reflexión sí tienen sentido. La contemplación, con la consiguiente unión con lo divino y el crecimiento psicológico que supone, tiene también mucho sentido. Y lo mismo digamos de la adoración, que tiene el sentido del temor reverencial y el asombro ante la Divinidad. Pero la petición parece verdaderamente absurda y desproporcionada: ¡el pobre e insignificante ser humano presentando sus humildes súplicas frente a los inalterables planes del Infinito! ¡El hombre, delante de Dios, pidiendo cosas, como el pan, que es perfectamente capaz de producir por sí mismo... y que el propio Dios espera que produzca a base de esfuerzo!

Ahora bien, por muy absurda que pueda parecerle al filósofo la oración de petición, ésta comienza a adquirir sentido para el hombre que la practica asiduamente con la fe y la confianza de un niño. Cuando el hombre ha llegado a descubrir el poder que encierra la oración, es muy improbable que le inquieten las dificultades de carácter filosófico acerca del porqué y el para qué de la misma. Él lo ha intentado y ha visto que funciona y le proporciona esa «paz que excede todo conocimiento» de la que habla san Pablo, esa «plenitud de gozo» que Jesús prometió a quienes practicaran la oración de petición. Y, una vez que lo ha experimentado, siente auténtica satisfacción en seguir pidiendo cuanto necesita, seguro de que el Padre celestial le ama mucho más de cuanto un padre terreno haya amado jamás a su hijo. Se dice que son muchos los sacerdotes que están abandonando la oración. De ser cierto, se deberá, sin lugar a dudas, a que nunca han experimentado el poder que encierra la oración. Quien haya experimentado una sola vez que la oración es poder, ya no abandonará la oración en todos los días de su vida. El Mahatma Gandhi lo expresó perfectamente cuando dijo: «Os refiero mi propia experiencia y la de mis colegas: podríamos pasar días y días sin comer, pero no podríamos vivir un solo minuto sin la oración». O, como dijo en otra ocasión: «Dado el tipo de vida que yo llevo, si dejase de orar... ¡me volvería loco!» Si le pedimos tan poco a Dios, tal vez sea porque sentimos muy poca necesidad de Él; vivimos unas vidas excesivamente placenteras, seguras y protegidas, unas vidas mediocres; no vivimos de un modo suficientemente arriesgado, no vivimos del modo en que Jesús quería que lo hiciéramos cuando proclamó la Buena Nueva. Cuanto menos oremos, menos probable será que vivamos esa vida arriesgada y provocadora que el evangelio nos urge a vivir; y cuanto menos riesgo y provocación haya en nuestra vida, menos probable será que oremos.

8
La oración (del nombre) de Jesús

Quisiera hablaros hoy de una forma de oración que tal vez os resulte un tanto extraña a algunos de vosotros. Y confieso que a mí mismo me resultó extraña la primera vez que tomé contacto con ella, aunque desde entonces he tenido mucho tiempo para descubrir su inmenso valor en mi vida y en la vida de muchas personas a las que he tenido ocasión de orientar. Es muy frecuente que me encuentre con antiguos ejercitantes que me dicen: «Las dos cosas que más se me grabaron de los Ejercicios que hice con usted son el tema de la oración de petición y el de la oración de Jesús». Conozco a personas que han descubierto la continua presencia de Dios en sus vidas gracias a la práctica de esta forma de oración; y hay dos personas de las que soy director espiritual que no han practicado ninguna otra forma de oración y que, gracias al poder de la misma, han experimentado grandes transformaciones en sus vidas. Por eso quiero compartirlo con vosotros, con la absoluta seguridad de que para algunos (si no para la mayoría, e incluso para todos) ha de suponer un bien verdaderamente enorme.

Permitidme que, antes de seguir adelante, os refiera cómo entré en contacto por primera vez con esta forma de oración. Estaba dando una charla a un grupo de religiosas y les hablaba de cuán escasos son los libros que nos enseñan verdaderamente a orar. Gran parte de nuestra literatura clásica sobre la oración (y mucho me temo que lo mismo pueda afirmarse de nuestra moderna literatura católica; no tanto de la protestante, que en general me parece más «práctica» y «devota») versa sobre la nobleza de la oración, la necesidad de la oración, la teología de la oración, etc. Pero, comparativamente, se dice muy poco verdaderamente práctico acerca del modo concreto de abordar el arte de orar. Aquella noche, una de las religiosas me dijo: «Yo he descubierto un libro que aborda concretamente el problema que mencionaba usted esta mañana. Un libro que enseña de manera práctica cómo hay que orar. ¿Querría usted leerlo?» Comencé a leer el libro aquella misma noche, después de cenar, y lo encontré tan fascinante que no me acosté hasta que hube acabado de leerlo. El libro se llamaba *The Way of a Pilgrim* («El camino de un peregrino») y había sido escrito por un peregrino ruso anónimo. (La versión castellana se titula precisamente *El peregrino ruso*. N. del Trad.). El manuscrito de aquel libro había sido encontrado en la celda de un monje del Monte Athos después de su muerte, a comienzos de este siglo. Tal vez fuera él el autor. Lo cierto es que no tardó en convertirse en un auténtico clásico de la literatura espiritual y que fue traducido a la mayoría de las lenguas modernas.

La historia del tal peregrino es realmente simple: un hombre se ve afectado por toda serie de calamidades, entre ellas la muerte de su mujer y de su único hijo, y decide renunciar al mundo y emplear el resto de su vida en peregrinar a diversos lugares sagrados, sin más equipaje que una mochila en la que llevar un poco de pan y una Biblia. En su lectura de la Biblia encuentra frecuentes exhortaciones a orar constante e incesantemente, a orar día y noche. Esta idea llega a obsesionarle de tal manera que dedica todos sus esfuerzos a buscar a alguien que le enseñe a orar de ese modo.

Acude entonces a toda clase de personas, especialmente sacerdotes, con esta pregunta: «¿Cómo puedo orar continua e ininterrumpidamente?» Y recibe toda clase de respuestas insatisfactorias. Uno le dice: «Hermano, sólo Dios puede enseñarte a orar incesantemente». Otro le recomienda: «Haz siempre la voluntad de Dios. El hombre que hace siempre la voluntad de Dios está orando siempre». Pero ninguna de estas respuestas satisface al peregrino, que se ha tomado al pie de la letra el mandato de orar sin cesar. ¿Cómo, se pregunta, puedo orar en todo momento, tanto despierto como dormido, cuando tantas otras cosas ocupan mi mente? Éste es su problema: piensa que la oración es un asunto de la mente; aún le queda por aprender que la oración se hace con el corazón.

Un día topa con un monje que le pregunta adónde va y qué anda buscando. Y el peregrino le responde: «Voy en peregrinación, de un santuario a otro, buscando a alguien que me enseñe a orar sin cesar». El monje, con la seguridad de quien sabe, le dice: «Hermano, da gracias a Dios, porque al fin te ha enviado a alguien que va a enseñarte a orar como tú quieres. ¡Acompáñame a mi monasterio!»

Una vez en el monasterio, el monje lo aloja en una pequeña cabaña dentro del recinto, le pone un rosario en las manos y le dice: «Recita quinientas veces esta plegaria: "Señor Jesús, Hijo de Dios, ten compasión de mí, que soy un pobre pecador"». (La verdad es que no estoy muy seguro de si eran quinientas o mil veces: ya hace años que leí este relato y no recuerdo bien los detalles. Pero es igual; pongamos que fueran quinientas veces). El peregrino no tardó en recitar la plegaria el número de veces que le habían indicado, y le sobró tiempo; pero no se atrevió a desobedecer a su mentor espiritual recitándola más veces de las que le había prescrito. Al día siguiente, el monje le ordenó recitarla mil veces. Y durante varios días fue incrementando progresivamente el número: dos mil, tres mil, cuatro mil veces, etc. (Recuerdo que, dando Ejercicios a un grupo de religiosas, hice que les leyeran este libro durante las comidas. Al cabo de un par de días, algunas de ellas estaban tremendamente tensas e intranquilas. En mis diálogos en privado con ellas, les pregunté a cada una de ellas por la causa de dicha tensión; y la respuesta de ellas era: «Es ese libro que nos están leyendo... El pobre hombre no hace más que contar las veces que recita la plegaria... ¡y ya va por cuatro mil! ¡No puedo soportarlo!»

Aquello me resultó divertido: «Si por cuatro mil veces os ponéis así, esperad y veréis cuando llegue a las veinte mil... ¡Os vais a subir por las paredes!» No fue así. Después de los Ejercicios, aquellas religiosas acabaron con las existencias del libro en lengua inglesa. Habían quedado prendadas de él y querían regalárselo a todos sus amigos. Recuerdo que tuve que esperar varios meses hasta que se reeditó y pude adquirir otro ejemplar para mí).

Pero volvamos a nuestro peregrino. Apenas ha adquirido el hábito de pasarse el día recitando miles de veces la plegaria, cuando, de pronto, fallece el monje. El pobre hombre asiste al entierro y llora amargamente su infortunio de haber perdido a aquel hombre que el Señor le había enviado y que le había prometido enseñarle a orar sin cesar. Luego decide que ya no tiene objeto permanecer en el monasterio; de modo que toma su mochila y reemprende su actividad viajera. Pero esta vez, además de la Biblia, mete también en la mochila un ejemplar de la *Filokalia,* un libro que contiene extractos de los escritos de los Padres, Doctores y Teólogos griegos acerca de esta forma de oración que los griegos llaman la «oración (del nombre) de Jesús».

El peregrino lee cada día algún pasaje de dicho libro y sigue religiosamente sus instrucciones. Y así es como aprende a unir la oración a la respiración; a decir al inspirar: «Señor Jesús, Hijo de Dios», y al espirar: «ten compasión de mí, que soy un pobre pecador». Luego, poco a poco, y mediante alguna misteriosa técnica que no se describe en el libro y que no se debe aplicar sin la ayuda explícita de un maestro experimentado, consigue «introducir la plegaria en su corazón», hasta que un día, sorprendentemente, el corazón se identifica plenamente con la plegaria, y el peregrino se encuentra repitiéndola constantemente, ya esté despierto o dormido, ya esté comiendo, charlando o paseando. Su corazón, con la misma independencia respecto de la mente con que no deja de latir, tampoco deja de recitar la plegaria una y otra vez. Al fin, nuestro peregrino ha aprendido el secreto de la oración incesante. El resto del libro refiere los avatares que le acontecen al peregrino en sus andanzas, los milagrosos efectos de la oración y una buena dosis de doctrina, tanto sobre la oración como sobre la vida espiritual en general.

Debo reconocer que, cuando leí por primera vez este libro, me resultó tan atractivo como una obra literaria y me cautivó por su sencillez. Ahora bien, no estaba tan seguro acerca de la validez de su doctrina sobre la oración. En conjunto, me parecía excesivamente mecánico, demasiado parecido a un proceso de autosugestión, y al principio me sentí inclinado a olvidarlo totalmente. Sin embargo, también me sentí impulsado a intentar durante unos días lo que el libro proponía. De manera que escogí una plegaria (no precisamente la que sugería el libro, pues vale cualquier otra fórmula que a uno le resulte «estimulante»), y en menos de un mes comprobé que se había producido un considerable cambio en mi oración. Todo lo que hice fue repetir mi plegaria, a lo largo del día, todas las veces que me acordaba; no sólo durante el tiempo de oración, sino también en otros momentos: mientras esperaba al autobús, mientras me desplazaba de un lugar a otro, etc. El cambio que experimenté es difícil de describir. No es que fuera nada «sensacional», pero lo cierto es que empecé a sentirme más tranquilo, más reconciliado conmigo mismo, más «integrado», si se me permite decirlo; empecé a sentir una cierta profundidad dentro de mí. Y observé, además, que la plegaria solía aflorar a mis labios, de manera casi automática, siempre que no me hallaba ocupado en alguna actividad mental. Entonces me hacía cargo de ella y la repetía conscientemente, unas veces de un modo simplemente mecánico, y otras con pleno sentido de lo que hacía.

Hablé de ello con una religiosa con la que me unía una estrecha amistad y que poseía una gran experiencia en cuestiones de oración y de dirección espiritual. Ella no había leído el libro, pero me refirió una interesante experiencia que ella misma había tenido: estando ella en el noviciado, la Maestra de novicias les había sugerido que cada una de ellas escogiera una breve plegaria que se acomodara al ritmo de su caminar.

Con el ingenuo candor propio de una novicia, ella había seguido la indicación y se habituó a repetir mentalmente la fórmula mientras caminaba. Al parecer, algún tiempo después de concluido el noviciado, había dejado de practicar dicho ejercicio, pero sus efectos se habían prolongado durante toda su vida. «No sé la razón de ello», me dijo, «pero siempre que camino soy consciente de que aquella plegaria va conmigo. Si, por ejemplo, estoy trabajando y me avisan de que alguien me espera en el locutorio, en el momento mismo en que me levanto y empiezo a caminar siento que me pongo a orar». Ella lo atribuía a la referida práctica adquirida en el noviciado. También me habló de un ejercitador que había dicho a un grupo de trabajadores lo siguiente: «Acompasad una plegaria, la que sea (''Sagrado Corazón de Jesús, en Vos confío'', por ejemplo), al ritmo de las máquinas de vuestra fábrica, y no dejéis de repetirla mentalmente, durante toda la jornada, siguiendo dicho ritmo. Y en muy poco tiempo comprobaréis los beneficiosos efectos espirituales que ello ha de produciros». El ejercitador tenía razón. Ya sé que todo el asunto parece excesivamente mecánico, pero lo cierto es que también parece funcionar. Por eso me decidí a «investigar» todo lo posible acerca de la práctica de esta forma de oración. Y debo decir que es mucho lo que he descubierto al respecto, aunque ciertamente no es mi intención aburriros refiriéndooslo todo, sino tan sólo aquello que pueda ayudaros a practicarla eficazmente por vosotros mismos.

Como he dicho, al principio me sentí inclinado a reducir esta práctica a una especie de proceso de autosugestión. Y no voy a decir ahora que no contenga elementos de autosugestión, que probablemente los contiene. Pero lo cierto es que resulta impresionante comprobar el número de teólogos y de santos que, en el pasado, han recomendado esta forma de oración. Tal vez aquellos hombres no tuvieran los refinados conocimientos psicológicos de que hoy disponemos, pero, ciertamente, tampoco eran tan ingenuos como para no distinguir un fenómeno puramente psicológico de un fenómeno espiritual. Al contrario: frecuentemente se planteaban este tipo de problemas y, a mi modo de ver, los resolvían de un modo satisfactorio. Descubrí que esta práctica no era exclusiva de las iglesias orientales, sino que también ha tenido seguidores en muchos místicos de Occidente, donde la fórmula más generalizada ha sido la de «Jesús, ten compasión». Pero ha habido muchas otras fórmulas. De san Francisco de Asís sabemos que se pasaba noches enteras diciendo: «Deus meus et omnia!» («¡Dios mío y todas las cosas!»). San Bruno, el fundador de los cartujos, no cesaba de decir: «O bonitas!» («¡Oh bondad de Dios!»). Cuando san Francisco Javier agonizaba frente a las costas de China, repetía una y otra vez: «¡Señor Jesucristo, hijo de David, ten compasión de mí!» Y san Ignacio de Loyola habla en sus Ejercicios Espirituales de una misteriosa forma de oración que recomienda al ejercitante y que consiste en recitar una oración siguiendo el ritmo de la respiración («...con cada anhélito o resollo se ha de orar mentalmente, diciendo una palabra del Pater noster, o de otra oración que se rece, de manera que una sola palabra se diga entre un anhélito y otro...»: EE. 258). Me pregunto dónde descubriría Ignacio este equivalente de la oración (del nombre) de Jesús.

Parece casi seguro que esta práctica de la Iglesia tiene su origen en los hindúes de la India, que tienen una experiencia de más de seis mil años en la práctica de la «Oración del Nombre», como ellos la denominan. Sea como fuere, apenas caben dudas de que los Padres del Desierto practicaban esta forma de oración, y la fórmula más empleada por ellos era: «Deus in adiutorium meum intende, Domine ad adiuvandum me festina» («Dios mío, ven en mi ayuda; Señor, apresúrate a socorrerme»). Solían recitar esta fórmula durante las horas de trabajo manual a lo largo del día, así como durante la noche, cuando velaban. La razón por la que sabemos tan poco acerca de su modo de practicar este «opus» (esta «obra»), como ellos lo llamaban, es que observaban estrictamente la norma que es común a muchos maestros hindúes: «Recibe tu propia fórmula de tu guru o maestro, ejercítate en ella durante toda tu vida y no se la reveles a nadie que no sea tu maestro». ¡Revelar la fórmula era tanto como hacerle perder su poder! Por eso mostraban tanta reserva al respecto.

Cómo practicar esta oración

Si de veras os interesa obtener los beneficios que, según los santos, proporciona esta forma de oración, os aconsejo que escojáis alguna fórmula que sea de vuestro agrado y la vayáis recitando a lo largo del día. No hay mejor momento para escoger esa fórmula que el de unos Ejercicios, cuando uno no se ve distraído por otros intereses y ocupaciones y puede dedicar tiempo a que dicha fórmula «se le meta en la sangre», por así decirlo, y se convierta en un verdadero hábito mental. Ésta es la razón por la que prefiero hablar de ello justamente al comienzo de los Ejercicios. Esforzaos en recitar mentalmente la fórmula a lo largo del día (mientras coméis, paseáis, os bañáis, e incluso mientras escucháis estas charlas y mientras meditáis), a no ser que resulte obvio que os sirve de distracción. Dejad que las palabras que escojáis («Señor Jesucristo, ten compasión», o cualesquiera otras) resuenen en el fondo de vuestra mente mientras escucháis esta charla, o mientras oráis o reflexionáis durante vuestras horas de meditación. No os preocupéis si os parece que repetís la fórmula de un modo mecánico. En seguida os explicaré el valor de lo que parece no ser más que la recitación mecánica de una fórmula carente de sentido.

Tradicionalmente, se pensaba que la fórmula debía ser elegida por el guía espiritual de cada uno, que se suponía había de ser un hombre experimentado en la práctica de esta forma de oración. Pero como, desgraciadamente, yo no soy lo bastante experto en este tipo de oración como para guiar a otros, os sugiero que pidáis al Señor que sea él mismo quien os indique la fórmula apropiada. Sea cual fuere la fórmula que decidáis escoger, casi todos los grandes maestros, cristianos y no-cristianos, insisten en la necesidad de que contenga algún nombre de Dios. El nombre de Dios es un «sacramental» y le confiere un especial poder a la oración. Los maestros cristianos orientales conceden un gran valor a las diversas formas de su fórmula, especialmente a las palabras «Jesús» y «compasión». Por cierto que «compasión» no se refiere simplemente al perdón de los pecados, sino que hace alusión a la clemencia y a la benevolencia amorosa de Dios. Sin embargo, como dije anteriormente, cada cual puede adoptar la fórmula que mejor le cuadre. La de «Sagrado Corazón de Jesús, en Vos confío» goza de aceptación por parte de muchos. Y he aquí otras posibles fórmulas: «Señor Jesucristo, venga tu Reino»; «Señor mío y Dios mío»; «Dios mío y todas las cosas»… También se puede optar por repetir simplemente el nombre de Jesús. Una sola palabra que puede ser repetidamente recitada con los más diversos sentimientos: de amor, de adoración, de alabanza, de contrición… Hay otras palabras referidas a Dios («Dios», «Corazón», «Fuego», etc.) que son recomendadas por el autor de *La Nube del No-saber;* y puede también recurrirse a ese precioso grito del Espíritu en nuestros corazones, a esa oración que es la más apropiada para un cristiano: «Abbá!»

Sea cual sea la fórmula que cada cual escoja, es sumamente importante que sea: (a) *rítmica.* Yo no sé por qué, pero lo cierto es que el ritmo nos ayuda a profundizar hasta el centro mismo de nuestro ser. Recitad vuestra plegaria lentamente, sin apresuramiento y con ritmo, y será mucho más eficaz. (b) *Resonante,* lo cual, por desgracia, no siempre es posible, sobre todo en inglés; algunos idiomas mediterráneos, como el español o el italiano, son mejores en este sentido; el latín es aún más apropiado; y el sánscrito es, con mucho, el mejor de cuantos yo conozco, porque posee fórmulas y nombres para referirse a Dios que han sido desarrollados durante siglos: ¿acaso hay algún sonido que supere en resonancia, solemnidad y profundidad al sonido sagrado «OM»? Hay en sánscrito docenas de nombres para referirse a Dios e infinidad de «mantras» que, cuando se cantan, poseen la virtud de arrastrarte a lo más profundo de ti mismo y de Dios. Fijémonos, por ejemplo, en el «Hari Om» o en el «Hare Rama, Rama Hare Hare». Si alguien descubre que estas fórmulas le son de utilidad, no dude en emplearlas y aplicarlas a Nuestro Señor Jesucristo, a quien pertenecen de pleno derecho todos esos nombres, porque él es el verdadero Krishna, el verdadero Vishnú, el verdadero Rama. Y (c) la fórmula ha de ser *uniforme:* una vez escogida una fórmula, no debe cambiarse fácilmente. Si cambias constantemente de fórmula, no será fácil que «se te meta en las venas», que llegue a ser parte de tu yo inconsciente, como explicaremos más adelante. Lo cual no significa que no haya que cambiar de fórmula cuando, después de un período de prueba, uno descubre que no le va, o bien encuentra otra que le va mejor. Si tienes fe, más tarde o más temprano, y aunque sea a trancas y barrancas, el Espíritu habrá de llevarte a dar con la fórmula que más te convenga. Lo importante es no cambiarla por el simple hecho de estar atravesando un período de sequedad y desolación, que es una de las pruebas habituales de la vida espiritual y que habrá de producirse con independencia de la forma de oración que cada cual adopte. Cambiar el estilo de oración por el simple hecho de verse afectado por una racha de «sequedad» es indicio de superficialidad. La sequedad tiene que producirse, si es que la oración ha de calar profundamente en nosotros. Y esto es especialmente cierto en relación a las fórmulas que empleamos para la oración, incluidas, obviamente, las oraciones eucarísticas y las oraciones del «breviario»: llega un momento en que las palabras se vuelven insípidas para nuestro paladar espiritual, pierden su significado, se secan y comienzan a deteriorarse y a pudrirse; y entonces sentimos la tentación de rechazarlas. Sin embargo, si perseveramos pacientemente (aunque no sea mucha la devoción de que podamos hacer acopio) en recitar nuestra fórmula, especialmente si se trata de la oración (del nombre) de Jesús, entonces la fórmula, poco a poco, recobrará con creces su vigor, adquirirá una profundidad y una riqueza insospechadas y nos proporcionará un delicioso alimento espiritual.

Lo que sí se puede es dotar de una enorme variedad a una misma fórmula (y variedad es lo que parece ser especialmente necesario durante el aprendizaje de la oración) atribuyendo diferentes significados a una misma palabra. Fijémonos, por ejemplo, en la multitud de significados que puede darse a la palabra «compasión»: amor, clemencia, perdón, paz, gozo, consuelo, fuerza... y todo cuanto deseemos obtener del Señor. Se puede recitar el nombre de Jesús con diferentes actitudes, haciendo de él una oración de amor, de adoración, de gratitud o de lo que sea... O se puede también introducir nuevas palabras en una misma fórmula: «Jesús, te amo; Jesús, ten compasión; Jesús, apiádate; Jesús, acuérdate de mí». O bien: «Jesús, piedad; Jesús, piedad... Jesús, amor; Jesús, amor... Jesús, ven; Jesús, ven... Jesús, mi Dios; Jesús, mi Dios...» Vuestra propia inventiva os sugerirá otros modos de conservar la misma fórmula dentro de una cierta variedad. Sin embargo, debo advertiros que, por mucho que os esforcéis en lograr esa variedad, habréis de contar con los inevitables períodos de sequedad y desolación; a pesar de lo cual, deberéis perseverar en la oración hasta que ésta, finalmente, acabe triunfando y poseyendo todo vuestro ser.

Algunos maestros recomiendan que en las primeras fases se recite la oración en voz alta. Conozco a un gran maestro hindú cuyo ser en su totalidad, según él mismo afirma, quedó poseído por el nombre de Dios como consecuencia de haber empleado cinco horas diarias en gritar el Nombre en voz alta a la orilla del río; todos los días, al regresar de su trabajo, acudía a dicho lugar a cumplir con sus cinco horas de «trabajo espiritual». En realidad, no es preciso recitar la oración en voz alta, sino que puede bastar con recitarla mentalmente. Sin embargo, a veces resulta muy útil hacerlo en voz alta (o no tan alta) cuando uno se encuentra a solas. De este modo, tu lengua, tu mente, tu corazón y toda tu persona se disciplinan y se amoldan al Nombre Divino, el cual queda indeleblemente grabado en tu propio ser.

Una última palabra (en esta ocasión de advertencia) con respecto a la práctica de la oración del Nombre. Si alguna vez leéis algo de lo mucho que se ha escrito sobre este tema, tal vez descubráis algunas de las técnicas psico-fisiológicas existentes para «introducir la oración en el corazón». Pues bien, mi consejo es que evitéis todo contacto con dichas técnicas, las cuales pueden despertar en vosotros determinadas fuerzas del inconsciente que no seréis capaces de controlar. Pero, si decidís poner en práctica dichas técnicas, hacedlo bajo la guía de un maestro experimentado y digno de vuestra confianza. Y este consejo está especialmente indicado en el caso de aquellas técnicas que implican ciertas formas de concentración intensa y de control de la respiración.

El poder de la oración del nombre

Existe una amplísima literatura hindú sobre este tema que resulta sumamente inspiradora, porque proviene de hombres que han experimentado en sus vidas los maravillosos efectos de esta forma de oración. Vamos, pues, a ver un par de ejemplos de lo que han escrito los maestros hindúes.

En primer lugar, citaré unas palabras que a mí me producen una honda impresión y que pertenecen al Mahatma Gandhi, aquel gigante espiritual que supo llevar una intensa vida de oración en medio del mundo de la política y de la reforma y la revolución de la India. Gandhi tenía la costumbre de recitar el nombre hindú de Dios, Rama, en lo que él llamaba su «Ramanama» (nombre de Rama).

«Siendo niño, sentía yo un profundo temor hacia los fantasmas y los espíritus. Y recuerdo que Rambha, mi nodriza, me sugirió que repitiera el Ramanama para combatir dicho temor. Y, como yo tenía más fe en ella que en nadie, comencé desde muy niño a repetir el Ramanama para librarme de mi temor a los fantasmas y a los espíritus... Pienso que fue gracias a la semilla sembrada en mí por aquella buena mujer por lo que el Ramanama se ha convertido para mí en un remedio infalible. Nuestro más poderoso aliado para vencer la pasión animal es el Ramanama o cualquier otro ''mantra'' parecido... Sea cual sea el mantra que uno escoja, hay que dejarse absorber por él... El mantra llega a convertirse en un auténtico báculo que le hace superar a uno todo tipo de pruebas... El Ramanama te proporciona seguridad y equilibrio y no te abandona en los momentos críticos... Recuerdo que los últimos días de mi segunda huelga de hambre me resultaban especialmente duros, porque hasta entonces no había comprendido yo la asombrosa eficacia del Ramanama, por lo que mi capacidad de sufrimiento era menor... El Ramanama es un sol que ha iluminado mis horas más oscuras. El cristiano puede hallar el mismo alivio en la repetición del nombre de Jesús, y el musulmán en la repetición del nombre de Alá... Sea cual fuere la causa por la que un hombre sufre, la recitación sentida y sincera del Ramanama constituye el remedio más seguro. Dios tiene muchos nombres, y cada cual puede escoger el que mejor le resulte... Es verdad que el Ramanama no puede hacer el milagro de devolverte un miembro que has perdido, pero sí puede hacer el milagro aún mayor de ayudarte a gozar de una paz inefable, a pesar de tal pérdida, y de privarle a la muerte de su victoria y de su aguijón al final del trayecto... Indudablemente, el Ramanama es la ayuda más segura. Si se recita de corazón, hace que se esfume como por ensalmo todo mal pensamiento; y, eliminados los malos pensamientos, no hay acción mala posible... Puedo afirmar sin temor que no hay relación alguna entre el Ramanama, tal como yo lo concibo, y el "jantar mantar" (la repetición de fórmulas supersticiosas y mágicas). Ya he dicho que recitar de corazón el Ramanama constituye una ayuda de un poder incomparable. A su lado, la bomba atómica no es nada. Este poder es capaz de suprimir todo dolor».

Gandhi creía tan firmemente en el poder del Nombre que pensaba que éste podía por sí solo curar las enfermedades físicas. Lo llamaba «la medicina del pobre», y llegó incluso a afirmar que él jamás moriría de una enfermedad y que, de lo contrario, autorizaba a que en su tumba le pusieran como epitafio una sola palabra: «hipócrita». Pocos meses antes de morir, a la edad de 78 años, hizo una peregrinación, completamente descalzo, por la zona de Bengala, asolada por los disturbios. De vez en cuando padecía violentos ataques de disentería, pero siempre se negó a aceptar cualquier tipo de medicamento, alegando que la recitación del nombre de Dios le libraría de la enfermedad; al parecer, así fue, y disfrutó de una espléndida salud hasta el día en que fue asesinado.

La práctica de la oración del nombre por parte de un político como Gandhi es particularmente alentadora para quienes desearían intentar esta forma de oración, pero temen que sea más apropiada para la vida monástica que para la vida activa. Conozco a muchos hombres y mujeres que llevan una vida muy activa y que, sin embargo, han encontrado en esta forma de oración un medio maravilloso para mantenerse en constante unión con Dios. Recuerdo en particular a una religiosa que era médica y a la que le resultaba muy difícil mantenerse unida con Dios a lo largo del día. Y recuerdo también que me expuso perfectamente su problema: «No puedo pensar en otra cosa que no sean mis pacientes, hasta el punto de que muchas veces, mientras recorro las salas del hospital, de repente se me enciende una luz en mi interior e intuyo cuál es el mal que aqueja a un enfermo y el modo de curarlo. Lo cual no sucedería si estuviera pensando constantemente en Dios. Sin embargo, lo cierto es que me gustaría ser consciente de Dios a lo largo de todo el día. Pero supongo que no es ésta mi vocación...» Al igual que mucha gente, aquella religiosa confundía la oración con el pensamiento. Pero no siempre se necesita emplear la mente para orar; de hecho, la mente es muchas veces un verdadero obstáculo para la oración, como intentaré haceros ver a lo largo de estos Ejercicios. Se ora con el *corazón*, no con la *mente*, del mismo modo que se escucha la música con el oído y se huele una rosa con la nariz. Evidentemente, aquella religiosa hacía muy bien en no pensar más que en sus pacientes. Eso era lo que Dios deseaba de ella. Por eso le sugerí que intentara hacer la oración del nombre de Jesús, ante lo cual se mostró en principio un tanto escéptica; pero cuando, seis meses más tarde, volví a encontrarme con ella, me dijo que ya no le resultaba tan difícil (y muchas veces le resultaba incluso fácil) ser consciente de la presencia amorosa de Dios y estar unida a Él sin dejar por un momento de pensar en los problemas de sus pacientes. La comparación más apropiada que se me ocurre al respecto es la que supone el hecho de escuchar una música de fondo, siendo confusa y agradablemente consciente de ella, a la vez que se presta toda la atención a una conversación o se lee un periódico.

El poder del nombre de Jesús

El Nuevo Testamento nos ofrece una serie de indicios muy claros acerca del valor y el poder del nombre de Jesús, un nombre más poderoso que cualquier otro nombre de Dios que le haya sido revelado a los hombres: «Por lo cual Dios lo exaltó y le otorgó el Nombre que está sobre todo nombre, para que al nombre de Jesús se doble toda rodilla en los cielos, en la tierra y en los abismos, y toda lengua confiese que Cristo Jesús es Señor, para gloria de Dios Padre» (Flp 2,9-11). «No hay bajo el cielo otro nombre dado a los hombres por el que nosotros debamos salvarnos» (Hch 4,12). «Os aseguro que cuanto pidáis al Padre en mi nombre, os lo dará. Hasta ahora nada le habéis pedido en mi nombre. Pedid y recibiréis, para que vuestro gozo sea colmado» (Jn 16,23-24).

Y en el Antiguo Testamento leemos: «No tomarás en falso el nombre de Yahvéh, tu Dios, porque Yahvéh no dejará sin castigo a quien toma su nombre en falso» (Ex 20,7). Dios protege su propio nombre contra todo intento de usarlo indignamente, del mismo modo que protege la vida, el honor, la propiedad... En casi todas las religiones antiguas existía la creencia de que quienquiera que llevara el Nombre Divino había de poseer también el poder contenido en dicho nombre, porque el nombre no era un sonido vacío, no se limitaba a significar al Dios al que se refería, sino que frecuentemente llevaba consigo el poder, la gracia y la presencia de ese Dios. Esto es lo que infinidad de contemplativos cristianos han sentido instintivamente con respecto al más poderoso de los nombres de Dios conocidos por el hombre: el nombre de Jesús. Acostumbrémonos a recitarlo a menudo con amor y devoción, con fe y ternura, con unción y reverencia, y no tardaremos en confirmar por propia experiencia la sabiduría de esos grandes contemplativos.

El trasfondo «psicológico» de esta forma de oración

A manera de apéndice a todo cuanto llevamos dicho sobre la «Oración del Nombre», quisiera añadir algo acerca de la «psicología» de esta forma de oración. Y lo hago porque tengo que hacer frente con frecuencia a las dificultades de algunos ejercitantes que querrían practicar esta forma de oración, pero no se deciden a hacerlo por considerarla demasiado mecánica, demasiado parecida a lo que hacen los papagayos (un «acto del hombre», no un «acto humano»: así me dijo un sacerdote, empleando una terminología que a todos nos resulta familiar desde que estudiábamos la teología moral). En cualquier caso, si lo que diga os resulta un elemento de «distracción», olvidadlo tranquilamente y poneos, sin más, a practicar esta forma de oración con toda fe y con absoluta sencillez.

Hace unos años, tuve ocasión de conocer las obras de un autor francés, Émile Coue, que hablaba de unas extraordinarias curaciones obtenidas mediante la técnica de lo que él llamaba «autosugestión». Voy a tratar de explicaros cómo se supone que funciona la autosugestión y a deciros algo acerca del inconsciente y del poder que éste tiene en nosotros. Os ruego que tengáis un poco de paciencia, porque sólo al final intentaré aplicar toda esta teoría psicológica a la oración del nombre de Jesús; y espero que vuestra paciencia se vea recompensada.

Comencemos por el inconsciente. Es éste un concepto popularizado por Freud, para quien el inconsciente es lo más importante y decisivo de la personalidad humana. Es como esa parte del «iceberg» que permanece sumergida bajo el agua. En cambio, la pequeña parte de esa inmensa montaña de hielo que asoma por encima del océano sería el equivalente a la mente y la voluntad conscientes del hombre. El inconsciente es, con mucho, el factor más determinante de nuestra personalidad: la sede de todas nuestras tendencias, impulsos, pasiones e instintos ocultos.

Para demostrar la existencia del inconsciente, Freud recurrió a los sueños y a la hipnosis. Limitémonos a este último fenómeno. Supongamos que yo hipnotizo a Juan y que, mientras él se encuentra en ese trance hipnótico, yo le doy una orden: «Mañana, a las diez de la mañana, tomas tal libro de la biblioteca y se lo llevas a Pedro». Luego le hago salir a Juan del trance, y él no recuerda para nada lo que le he dicho. Al día siguiente, poco después de las diez, veo a Juan salir de la biblioteca y dirigirse a la habitación de Pedro. Le detengo en el pasillo y le pregunto adónde va. «A la habitación de Pedro», me responde, «a darle este libro». «¿Por qué?», le pregunto. «Porque hay en este libro un capítulo sobre la oración que sé que va a interesarle a Pedro». «¿Estás seguro de que es ésa la razón por la que quieres llevarle ese libro a Pedro?», le pregunto yo incrédulo. «Naturalmente», responde Juan, «¿qué otra razón podría tener?» ¡Ahora le toca a él mostrar su incredulidad! Por supuesto, nosotros sabemos que el motivo «consciente» que tiene Juan para llevar el libro a Pedro es ese famoso capítulo sobre la oración. Ése es el motivo del que Juan es consciente. Pero también sabemos que hay un motivo más profundo que induce a Juan a ir a la habitación de Pedro con ese libro, un motivo «inconsciente» que él desconoce. Ya sé que éste es un asunto bastante preocupante. Si Juan se siente conscientemente libre al hacer lo que hace, pero en realidad no es tan libre como él piensa, ¿cómo saber si es realmente libre en otros muchos de los actos que realiza? ¿Cuántos de ellos no estarán realmente dirigidos por motivos y condicionamientos de los que no tiene ni la menor idea? He aquí un problema con el que tienen que debatirse teólogos y psicólogos. Ahora bien, aunque el descubrimiento del inconsciente conlleva sus problemas, también nos revela la existencia de unas inmensas reservas de poder aún por explotar.

Recuerdo haber leído hace años acerca de un caso acaecido en los Estados Unidos. Al parecer, una anciana mujer había sido arrollada por un camión y resultaba imposible sacarla de debajo de la enorme máquina sin levantar ésta, que era demasiado pesada. Mientras la gente que se había agolpado en el lugar esperaba la llegada de una grúa, pasó por allí un negro bastante débil en apariencia, el cual, al ver a la mujer en aquella situación, se acercó instintivamente al camión, lo agarró por el parachoques con ambas manos y consiguió levantarlo lo suficiente para que la mujer pudiera ser liberada. Cuando los periodistas se enteraron de lo ocurrido, sometieron al negro a un auténtico asedio para persuadirle de que repitiera su hazaña, a fin de poder fotografiarlo. Pero, por mucho que el negro lo intentó, no pudo conseguirlo. ¿Qué había sucedido? Sencillamente, que, en un momento de apuro, aquel hombre había logrado, inesperadamente, poner en funcionamiento las tremendas energías que tenía sin explotar en su interior. Estaba convencido de que podía mover el camión... y lo movió. He leído acerca de hechos similares realizados por santones hindúes que, tras ayunar muchos días, son capaces de realizar grandes esfuerzos físicos, como escalar montañas o recorrer larguísimas distancias. Personalmente, yo me inclino a creer estas cosas, del mismo modo que creo que todos tenemos en nuestro interior poderes que no conocemos en absoluto; que hay dentro de nosotros todo un universo esperando a ser explorado, un espacio interior al que, desgraciadamente, prestamos muy poca atención, mientras que, en cambio, dirigimos todos nuestros esfuerzos a la conquista del mundo y el espacio exteriores a nosotros.

Volviendo a la hipnosis, da toda la impresión de que, si se logra convencer de algo al inconsciente, es muy probable que ese algo se haga realidad. El inconsciente parece estar totalmente abierto a cualquier sugerencia que se le haga en estado de hipnosis. Veamos otro ejemplo: el hipnotizador le dice a su «paciente»: «¿Quieres un cigarrillo?» Y entonces, en lugar de un cigarrillo, le da un trozo de tiza que el sujeto en trance hipnótico se pone inmediatamente a «fumar»... ¡y a disfrutar! De pronto, el hipnotizador dice: «¡Cuidado, te estás quemando el dedo!» El otro, asustado, arroja inmediatamente el «cigarrillo»... ¡y una auténtica quemadura comienza entonces a aparecer en su dedo, con la consiguiente destrucción de tejidos! ¿En qué consiste ese enorme poder de sugestión que hay dentro de nosotros? ¿Hay algún modo de «santificar» ese «inconsciente»? La mayor parte de nuestra espiritualidad parece girar en torno a la mente consciente; pero ¿qué ocurre con esa parte oculta del «iceberg»? «Santificar» ésta sería santificar la esencia misma del mundo de nuestras motivaciones y actividades y la fuente de una gran parte de nuestra energía. ¿Existe alguna forma de entrar en contacto con ese inconsciente, de influir en él y de utilizarlo en nuestro propio provecho?

Émile Coue era de la opinión de que sí existía, y lo llamaba «autosugestión». Brevemente, su teoría consistiría más o menos en esto: por medio de la autosugestión es posible curar casi todas las enfermedades y proporcionar salud y vigor al cuerpo. Lo único que hay que hacer es convencer al inconsciente de que uno está sano. ¿De qué manera? Supongamos que tenemos una úlcera de estómago. Pues bien, en tal caso, antes de disponernos a dormir por la noche (que parece ser el momento en que el inconsciente está abierto de par en par a la «sugestión»), debemos tendernos relajadamente en la cama y repetir veinte veces, lentamente, la siguiente fórmula: «Día a día, estoy mejor en todos los aspectos». Según Coue, no ha de pasar mucho tiempo hasta que el inconsciente reciba el mensaje... ¡y la úlcera acabe desapareciendo! Ahora bien, si queremos influir en el inconsciente, hay dos cosas que debemos evitar. La primera: pensar explícitamente en la úlcera mientras recitamos la fórmula; de lo contrario, el inconsciente encontrará el modo de resistirse a nuestro intento de influir en él. Es preciso no pensar en la úlcera; lo que debemos hacer es pensar en la salud en general, y de ese modo la úlcera desaparecerá por sí sola. La segunda cosa que hay que evitar es centrar la atención en el significado de las palabras que pronunciamos, porque ello sería otra forma de intentar influir directamente en el inconsciente, el cual «conoce» el significado de esas palabras. De modo que no insistamos en ellas con nuestra mente consciente, sino pensemos, más bien, en la salud en general.

¿No es exactamente esto lo que ocurre con la oración del nombre de Jesús? En realidad, lo que hacemos en esta forma de oración es recitar constantemente las palabras a lo largo del día sin reparar directamente en el significado de las mismas. Lo cual, lejos de ser una «pérdida», puede ser una verdadera «ganancia». Somos en cierto modo conscientes de que las palabras que decimos son palabras de oración, de que la oración, a fin de cuentas, se produce. Poco a poco, el inconsciente va percibiéndolo y haciéndose, digámoslo así, «orante». Y al cabo de un tiempo empezamos a constatar que toda nuestra vida y nuestra actividad están invadidas de esa dimensión. Y así, aunque a primera vista esta forma de oración pueda parecer lo que aquel sacerdote llamaba «un acto del hombre», más que un «acto humano», dado que la mente consciente y la voluntad no se ven directamente implicadas, en realidad es un acto tan humano y verdadero como el acto de influir en el inconsciente por medio de la auto-sugestión.

Algunas personas son reacias a pensar que las leyes de la autosugestión puedan tener validez en la oración del nombre de Jesús. Pero ¿por qué no habrían de tenerla? ¿Por qué no vamos a poder usar el poder de la autosugestión, del mismo modo que usamos el poder de nuestra mente, la imaginación y la emoción, para hacernos más orantes y más cercanos a Dios?

El Rosario

Puede que algunos de vosotros hayan comprendido que cuanto he dicho sobre la oración del nombre de Jesús es perfectamente aplicable al rezo del rosario. Hoy es bastante frecuente menospreciar esta práctica de oración repetitiva. Si miramos el rosario con nuestra mente «racional», encontraremos todas las razones del mundo para creer que no es una oración, sino una parodia de oración en la que se repite una y otra vez la misma fórmula, el «Ave María», de un modo monótono e impersonal y sin reparar en el significado de las palabras; de hecho, incluso se nos anima a no reparar en ello y a distraernos piadosamente, por así decirlo, meditando mentalmente en la vida de Cristo mientras decimos con los labios: «Dios te salve, María, llena de gracia...» Por eso muchas personas consideran el rosario excesivamente rutinario y opinan que sería mucho mejor hacer una oración espontánea al Señor. Conozco a un sacerdote que, para hacer ver a un grupo de mujeres la ridiculez que supone el rosario, comenzó una plática diciéndoles: «¡Buenos días, señoras!». Ellas respondieron: «¡Buenos días, Padre!» «¡Buenos días, señoras!», volvió a decir él... y así una y otra vez, hasta que se detuvo y dijo: «Probablemente piensen ustedes que estoy loco. Pues bien, probablemente eso mismo piensa María de nosotros cuando nos empeñamos en repetir una y otra vez el Ave María». Un buen argumento, ciertamente. Pero lo que ocurre con las cosas profundas del espíritu es que de ningún modo están sujetas a las leyes de la lógica y la razón humanas. Hay en la vida realidades más profundas de cuanto la razón es capaz de captar. La mente humana puede adquirir saber, no sabiduría. Para esto último se requiere un sentido, un instinto que está más allá de la mente. Es el instinto que tenían los santos que practicaban y recomendaban esta forma de oración. Sabemos de grandes contemplativos, como el hermano jesuita san Alfonso Rodríguez, que solían rezar docenas de rosarios cada día. Y hoy puede verse en nuestras aldeas indias a santas y ancianas mujeres, con el rostro curtido por el sufrimiento y por el amor, que irradian el discreto brillo del Espíritu y cuya única oración la constituye el rezo del rosario. Aquí pueden aplicarse todos los principios de la oración del nombre de Jesús; y aquí también, una vez más, tenemos lo que yo llamo «la santificación del inconsciente» mediante la recitación aparentemente mecánica de una plegaria.

Si en el pasado significó algo para vosotros el rosario, podéis aprovecharlo para hacer de él vuestra «oración del nombre». También podéis pasar las cuentas del rosario mientras recitáis vuestra propia fórmula, sea la que sea. No sé a qué se debe, pero lo cierto es que el hecho de pasar las cuentas del rosario entre los dedos proporciona paz y ayuda a orar a muchas personas; probablemente se deba a que sirve para darle «ritmo» a la oración. Yo mismo jugueteo a veces con el rosario sin pronunciar ninguna plegaria, y ello basta para ponerme en ambiente de oración. Podéis practicarlo hoy en vuestra propia oración. Usad vuestro rosario para recitar rítmicamente vuestra oración del nombre, y con la bendición de la Santísima Virgen tal vez descubráis la sabiduría que tantos santos hallaron en la oración.

9
La oración compartida

Vamos a hablar hoy de una forma de oración que, a primera vista, no parece tener cabida en unos Ejercicios como éstos. Al menos, así lo he creído yo durante mucho tiempo. Durante años, me he opuesto abiertamente a lo que ha dado en llamarse «oración compartida». La oración compartida podía tener cabida en unos «Ejercicios en grupo», donde los ejercitantes tratan de tener una experiencia de Cristo *en comunidad,* no en unos Ejercicios personales, donde el ejercitante busca a Cristo en el más estricto silencio y soledad y en confrontación consigo mismo. A mi modo de ver, todo lo que fuera comunicación, discusión en grupo, puesta en común, o incluso comunicación en la oración, constituía una distracción. Y aún sigo opinando, en gran parte, que unos Ejercicios en grupo ofrecen al ejercitante lo que no pueden ofrecerle unos Ejercicios personales, y viceversa; y recomiendo encarecidamente a todos los sacerdotes y religiosos que experimenten ambas clases de Ejercicios, porque unos y otros se complementan recíprocamente. Pero me opongo a que se mezclen, porque ello hace que se interfieran mutuamente y se diluyan sus efectos. Si haces unos Ejercicios en silencio, sumérgete en el silencio cuanto puedas y evita a toda costa cualquier tipo de conversación y de intercambio; de lo contrario, estarás demoliendo con una mano lo que construyes con la otra. Los «Ejercicios en grupo» tienen sus propios métodos y técnicas, y la interacción grupal en dicha clase de Ejercicios, lejos de ser un impedimento para encontrarse con Cristo, es en realidad un medio para dicho encuentro.

También tenía razones personales en contra de la oración compartida, la cual, sencillamente, no encajaba en la cultura religiosa en la que yo he crecido. He llegado a decir que, para mí, la oración compartida era algo así como hacer el amor en público, porque el hombre que se pone en oración consigue, al cabo de un rato, comunicar con Dios por encima de todo tipo de palabras y conceptos. ¿Y cómo se puede compartir esa clase de oración con un grupo? Todo cuanto uno podría decir sería algo así como «Dios mío, te amo», lo cual es algo bastante «trillado» y que, aun cuando pueda estar lleno de sentido para mí, no es muy probable que pueda conmover o inspirar a los restantes miembros del grupo.

Pues bien, tengo la dicha de poder decir que todos estos prejuicios por mi parte han desaparecido. He descubierto que hay una forma de oración que se emplea cuando uno está a solas con Dios, y otra forma de oración que es posible compartir, para provecho espiritual de uno mismo y de los demás. Permitidme que os refiera cómo llegué a descubrir el valor de la oración compartida.

Me hallaba dando unos Ejercicios de treinta días a un grupo de jesuitas y, hacia la mitad del mes, me puse a pensar en todo cuanto había leído por entonces acerca del Movimiento Pentecostal Católico (o Movimiento de Renovación Carismática, como ahora se denomina) y en la generosidad con que el Señor parecía derramar los dones de su Espíritu sobre aquellos católicos que lo buscaban con enorme fervor y sencillez... ¡a pesar de que no hacían los Ejercicios de treinta días! De modo que dije a los ejercitantes: «Si Dios es tan generoso con esas personas, seguro que ha de ser mucho más generoso con vosotros, que lo buscáis con tanta seriedad durante todo un mes de oración y silencio. Si tenemos la sensación de que Él no está siendo lo bastante generoso, probablemente sea porque no le rezamos suficientemente en grupo». Consiguientemente, sugerí que a partir de aquella noche expusiéramos y adoráramos al Santísimo antes de retirarnos a dormir. Los ejercitantes serían libres para acudir o no; pero, si acudían, deberían hacerlo parar orar, no por sí mismos, sino por todo el grupo; para pedir con toda seriedad que el grupo entero recibiera la efusión del Espíritu Santo.

Acudieron todos. El ambiente de la capilla favorecía enormemente la oración, con las luces apagadas y la custodia iluminada únicamente por la tenue luz de unas velas. Estuvimos orando unos por otros en silencio, y no pasó mucho tiempo hasta que pude percibir (y conmigo todos los demás) cómo aumentaban las gracias que recibían los ejercitantes. Sin embargo, mi escepticismo me hacía dudar a la hora de atribuirlo a la mutua intercesión de aquella noche. ¿No podía ser que las dos semanas anteriores de silencio hubieran dispuesto a los ejercitantes a recibir aquellas gracias, de tal modo que las habrían recibido igualmente sin necesidad de tal intercesión? De manera que decidí recomendar esta práctica a los ejercitantes en Ejercicios de ocho días, y entonces ya no pude dudar de sus efectos, porque resultaba sumamente notable la diferencia con los Ejercicios que había venido dando hasta entonces: las charlas eran las mismas, así como las técnicas y los métodos de oración; pero las gracias que Dios derramaba ahora eran incontestablemente mayores que las que parecía derramar en aquellos otros Ejercicios. No era fácil, pues, eludir la conclusión de que la diferencia venía determinada por la oración en grupo que teníamos por la noche.

Volviendo a los Ejercicios de treinta días, recuerdo que uno de los ejercitantes vino unos días después a decirme: «¿No sería bueno que rezáramos en voz alta? Es más fácil pedir por unas personas cuyas necesidades conoces que pedir por el grupo en general». Yo accedí de mala gana, debido a las reservas que aún tenía con respecto a la oración compartida. Ahora me siento feliz por haber accedido. Algunos ejercitantes pedían gracias concretas, para lo cual a veces se dirigían al Señor («Señor, concédeme la gracia de orar. Llevo todo el día tratando de hacerlo sin conseguirlo, abrumado por las distracciones»), y otras veces se dirigían a los demás ejercitantes («Os pido, hermanos, que imploréis para mí la gracia del arrepentimiento. De algún modo, creo haber perdido el sentido del pecado y de mi necesidad de Dios»). Posteriormente, muchas de aquellas personas, que habían tenido el valor de pedir en voz alta una determinada gracia, han reconocido haberla recibido y lo han atribuido a la oración de todo el grupo. En realidad, no era más que el cumplimiento literal de las palabras de Jesús: «Os aseguro que, si dos de vosotros se ponen de acuerdo en la tierra para pedir algo, sea lo que fuere, lo conseguirán de mi Padre que está en los cielos. Porque donde están dos o tres reunidos en mi nombre, allí estoy yo en medio de ellos» (Mt 18,19-20).

Al principio, por lo tanto, ésta era la sencilla forma de oración que practicábamos. Si alguien deseaba obtener alguna gracia, no tenía más que expresarlo en el grupo de oración, y todos orábamos por él, generalmente en silencio. Si Dios le concedía la gracia demandada, entonces manifestaba su agradecimiento en una sesión subsiguiente, de modo que todos pudiéramos unirnos a él en la alabanza y la acción de gracias y amar y glorificar aún más al Señor por su bondad para con el hermano. Fue por entonces cuando comencé a recomendar a los ejercitantes esta forma de oración compartida desde el primer día de los Ejercicios, y pude comprobar una y otra vez cuán rápidamente obtenían las gracias que solicitaban, que era algo que yo no estaba acostumbrado a ver con anterioridad.

Más tarde empecé a descubrir el valor de la oración compartida fuera del ámbito de los Ejercicios. ¡Qué distintos serían nuestros debates, consultas y reuniones si nos detuviéramos a orar, no sólo al comienzo y al final de las sesiones, sino también en los momentos de «impasse», cuando no conseguimos avanzar, cuando tenemos necesidad de inspiración y de luz, cuando nos sentimos irritados y nerviosos, con ganas de pelea o a la defensiva...! Pude comprobar que, cuando otros métodos (diálogo comunitario, encuentros, dinámicas...) han fracasado, estas sesiones de oración producían auténticos milagros a la hora de reconciliar a las personas, de unir a las comunidades o de superar las diferencias generacionales. Por eso no puedo dejar de constatar con tristeza cuán raras veces nos reunimos los sacerdotes para orar juntos de una manera distinta de las esterotipadas formas prescritas por la liturgia. Nuestras reuniones y discusiones, especialmente las de nuestros cuerpos encargados de tomar decisiones, raramente se diferencian de un consejo de administración o de una reunión de ejecutivos: tenemos grandes dosis de sentido común y de prudencia humana, y normalmente disponemos de excelentes estudios y abundante información acerca de los problemas sometidos a discusión; pero no tenemos tanta comunicación directa con Dios ni confiamos tanto en su inspiración y en su guía.

Lo expresaba perfectamente un sacerdote norteamericano, el P. Joseph M. O'Meara, en un artículo titulado *Contrasting Conventions: Prayer Makes a Difference*:

«Durante el mes pasado, asistí a dos asambleas, una en Baltimore y otra en Washington. Ambas versaban sobre temas religiosos, pero ¡qué diferencia entre una y otra...!

»La primera fue la Asamblea anual de la "Federación Nacional de Consejos Presbiterales" (FNCP); la segunda, la Convención anual de la "Full Gospel Business Men's Fellowship International", una organización interconfesional de personas (fundamentalmente católicos, protestantes de las más diversas denominaciones y hasta judíos) que han alcanzado una profunda experiencia del Señor Jesús y han comprobado la insuficiencia de los métodos convencionales de evangelización. Se trata de una asociación de carácter fundamentalmente "pentecostal" o "carismático"...

»La Asociación, que nació en 1953 en los Estados Unidos, tiene ya más de 500 "capítulos" en este país y está muy extendida por otros muchos países, habiendo llegado a un punto en el que el número de "capítulos" crece en progresión geométrica. Mientras nosotros perdemos decenas de sacerdotes casi a diario, ellos aumentan a diario el número de ministros del Señor. Mientras nuestros fieles pierden a pasos agigantados la ilusión por la eficacia del cristianismo, sus miembros hablan con todo entusiasmo de la asombrosa eficacia de la acción del Señor en ellos y a lo largo y ancho del mundo. Mientras nosotros somos cada vez más reacios a hablar de nuestra relación personal con el Señor o de nuestra experiencia de Él, ellos están impacientes por referir lo que el Señor ha hecho con ellos y con sus vidas.

»Yo mismo oí a un joven de 23 años relatar cómo su experiencia personal del Señor le había hecho pasar, de una vida exclusivamente centrada en las drogas, a una vida de amor y entrega total a Jesús. Y, al igual que éste, son muchísimos los testimonios parecidos de gente joven en la órbita de la Asociación. ¿Cuántos de nosotros podemos afirmar haber encontrado frutos semejantes en nuestras iglesias? Todavía estoy impresionado por el testimonio de un judío que afirmaba estar dispuesto a ''hacerse eunuco'' por el Señor; un hombre casado que vivía como si no lo estuviera, porque su apostolado así se lo exigía. ¡Qué enorme contraste con lo escuchado en la asamblea de la FNCP!

»¿Por qué ocurre todo esto entre ellos y no entre nosotros ni en otras iglesias cristianas? No sabría responder del todo, pero sí en parte: ¡la oración! ¡De esto sí estoy seguro!

»En la convención de la Asociación no se hablaba de nada (persona, lugar o cosa) sin antes haber orado sobre ello, por ello, desde ello... La oración, hablada o cantada, estaba constantemente en sus labios. En cambio, en la asamblea de la FNCP apenas si se pronunciaba una plegaria.

»Entre una sesión y otra, los miembros de la Asociación se reunían para orar juntos y comunicar sus experiencias personales del Señor y el modo en que se proponían difundir su Palabra. En la asamblea de la FNCP, en cambio, nos reuníamos entre sesión y sesión para tomar unas copas y hablar de política eclesial. En la Asociación no se emprendía absolutamente nada sin invocar la asistencia del Espíritu Santo. En la FNCP parecíamos proceder con mucha mayor ''naturalidad''».

He descubierto que una sesión de oración compartida durante los Ejercicios no supone en modo alguno la «distracción» que puede suponer una discusión en grupo, con tal de que no haya más de una sesión por día; de lo contrario, existe el peligro de que el ejercitante trate de refugiarse en esta forma de oración, relativamente más «confortable», para eludir los rigores de un encuentro personal con Dios. A diferencia de la oración compartida, la discusión en grupo es probable que despierte emociones sobre las que posteriormente haya que incidir y que pueden perturbar el silencio interior que los Ejercicios requieren. Pero hay algo más: he descubierto también que la oración compartida supone para algunos ejercitantes una verdadera actividad profética. Más de un ejercitante me ha confesado que una petición, una reflexión o una intuición que ha escuchado en la oración compartida había supuesto para sus Ejercicios un cambio radical: como si el mismísimo Señor le hubiera hablado a través de esa persona (que es en lo que consiste realmente el don de profecía: en que el Señor le hable a uno a través del hermano, aunque éste no sea consciente de ello). Y me ha resultado sumamente interesante comprobar cuán a menudo se ejerce la profecía en forma de plegarias, más que de ideas o de razonamientos; y plegarias que, a primera vista, parecen muchas veces de lo más normal y corriente. Alguien formula una simple petición, y siempre hay alguien que se siente invadido de devoción o recibe la luz y la inspiración que necesitaba.

Cómo proceder

No existen normas acerca de la oración compartida. Pero creo que será útil enumerar una serie de dificultades con que tropieza esta forma de oración y una serie de cosas que pueden hacerla más provechosa. Veamos primero las dificultades:

1. *Acudir a ella para orar en privado.* Si haces esto, es probable, por una parte, que las palabras de los demás únicamente te sirvan de distracción y, por otra, que tu silencio signifique un lastre para el grupo. No es que el silencio constituya un obstáculo para la oración compartida, sino todo lo contrario, como ya veremos. Pero lo que es innegable es que no estás con los demás únicamente «en espíritu», y por eso tu silencio puede resultar molesto para los demás, del mismo modo que sus palabras pueden resultar molestas para ti. Algunos ejercitantes me han dicho que no sacaban absolutamente nada de la oración compartida, y ello ha podido deberse a que acudían a ella para proseguir con su propia y personal forma de orar. La oración compartida requiere adoptar *otra* forma de oración, otra disposición. A lo que vas es a orar con los demás, a pedir por ellos y a que ellos pidan por ti, a estar absolutamente abierto a lo que ellos te digan y a lo que el Espíritu quiera inspirarte que les digas tú. Si adoptas esta actitud, la oración compartida resulta sumamente provechosa y fructífera, aun cuando permanezcas en silencio la mayor parte del tiempo.

2. *El exceso de actividad mental.* Es muy importante que en la oración compartida no nos atraquemos de pensamientos, de reflexiones, de ideas... Por supuesto que hay lugar para todo ello, pero a la mayoría de las personas les resulta más fácil compartir sus ideas que su oración. Por lo general, es más probable que nos sintamos tocados por la gracia cuando alguien ora al Señor que cuando nos habla de una idea que se le ha ocurrido en la oración.

Hemos de tener cuidado con esa forma de comunicar intuiciones o ideas en que realmente hablamos a los miembros del grupo, pero añadiendo la palabra «Señor» a lo que nosotros decimos. Es más honrado y distrae bastante menos decir: «Hermanos, tengo una idea o una reflexión que quisiera compartir con vosotros...», que decir: «Señor...», y a continuación soltar nuestro sermón. He aquí un ejemplo de lo que quiero decir: «Señor, tú sabes bien el daño que le hacen a la Iglesia los llamados ''liberales'' y los que tanto manejan la Biblia... En mi opinión, Señor, ellos son la causa de tanta confusión como hay en la Iglesia...» Éste es un ejemplo de cómo, desgraciadamente, so pretexto de hablarle al Señor, podemos lanzarnos reproches mutuos.

3. La tercera dificultad a la que quiero aludir es lo que tal vez podríamos llamar *impersonalidad*. El emplear el pronombre «nosotros» en lugar del pronombre «yo»: «Señor, te damos gracias por tu bondad para con nosotros...» ¡No hablemos por los demás! Dejemos que eso lo haga el que preside la liturgia. No asumamos la tarea de interpretar los sentimientos y emociones del resto del grupo. Habla por ti mismo. Tu oración ha de ser mucho más personal. De hecho, cuando dices «nosotros», no compartes nada; lo único que haces es erigirte en portavoz de los demás.

4. Una dificultad aún más grave consiste en *no escucharnos unos a otros*. Resulta bastante penoso el que, después de que alguien ha dirigido una angustiosa plegaria al Señor pidiéndole desesperadamente ayuda, inmediatamente, casi sin solución de continuidad, salga otro agradeciendo al Señor, en tono alegre y festivo, tal o cual favor. ¿Qué hacía mientras hablaba el primero? Resulta casi indecente prorrumpir en una oración de gozo sin haber dado a los demás el tiempo mínimo necesario para acompañar a la otra persona en su dolor y orar por ella. Ésta es una de las razones por las que resulta muy útil para el grupo el tener un «animador»: alguien que, sin tener precisamente que destacar por encima del resto, sepa sintonizar con lo que ocurre en el grupo y escuchar tanto a los miembros de éste como al Señor. En una situación como la que acabo de describir, la persona que ha expresado su angustia y su dolor puede tener la sensación de que a nadie le importa; entonces, si nadie se decide a hacer una referencia explícita al respecto, el «animador» puede hacer una oración por él en voz alta. Esto servirá de apoyo y de aliento a la persona que ha pedido ayuda, porque sabrá que su oración no ha sido oída por sus hermanos con fría indiferencia. Es muy significativo que, cuando Jesús agonizaba en Getsemaní, quisiera compartir su angustiada oración con sus discípulos,

a los que permitió escuchar lo que le decía al Padre, esperando de ellos algún tipo de apoyo y de consuelo. Si nosotros no nos escuchamos unos a otros, entonces, sencillamente, no compartimos mutuamente la oración.

Escuchar la oración de otro supone que la oración de ese otro es perfectamente audible. Y es que es bastante molesto, y a veces hasta irritante, tener que aguzar el oído para oír lo que el otro musita entre dientes. Hablemos bien claro, o no hablemos.

5. La siguiente dificultad consiste en *no escuchar al Señor que habla en nuestro corazón*. Puede que a veces nos dejemos arrastrar de tal modo por la oración y los problemas de otra persona que releguemos al Señor a un segundo o tercer plano y apenas le permitamos inspirarnos y hablar a nuestro corazón, porque estamos demasiado ocupados con lo que nosotros y los demás le decimos a Él.

Pero resulta que el Señor no deja de hablarnos. Si sabemos crear un silencio interior dentro de nosotros, podremos sentir cómo nos mueve a formular una plegaria o a compartir algo que Él nos hace intuir. El Señor se sirve muchas veces de esa nuestra plegaria o intuición para activar el carisma profético dentro del grupo. La profecía, que no es otra cosa que hablar a alguien en nombre del Señor, comunicar a alguien un mensaje de parte del Señor, era un don que se ejercía con mucha frecuencia en la Iglesia primitiva. Pablo lo valoraba enormemente y urgía positivamente a sus cristianos a buscarlo, porque sabía lo útil que puede ser para el crecimiento espiritual del prójimo (1 Cor 14). Un excelente ejemplo de profecía lo tenemos en el libro de los Hechos: «Nos detuvimos allí [en Cesarea] bastantes días; bajó entre tanto de Judea un profeta llamado Agabo, el cual se acercó a nosotros, tomó el cinturón de Pablo, se ató sus pies y manos y dijo: "Esto dice el Espíritu Santo: Así atarán los judíos en Jerusalén al hombre de quien es este cinturón, y lo entregarán en manos de los gentiles". Al oír esto, nosotros y los de aquel lugar le rogamos que no subiera a Jerusalén» (Hch 21,10-12).

He podido ver en acción en varias ocasiones, aunque nunca de un modo tan espectacular como en el caso de Agabo, este don de profecía. Alguien del grupo compartía una inspiración o se sentía movido a leer un pasaje de la Escritura escogido al azar, y otra persona distinta sentía cómo el Señor se dirigía a ella mientras el otro hablaba. Por eso suelo insistir en que no reprimamos lo que el Señor parece instarnos a decir, porque Él acostumbra a inspirarnos lo que desea que compartamos con el resto del grupo. De ahí la importancia de estar atentos al Señor, que puede estar hablando tanto en el silencio de nuestros corazones como en las palabras de los demás.

A este propósito, será muy útil que el «animador» del grupo sugiera la oportunidad de permanecer un rato en oración silenciosa (una «sesión de escucha», dirían algunos) cuando observe que se están diciendo demasiadas cosas sin el espíritu y la unción propios de la oración. Habrá ocasiones, sin embargo, en que el grupo permanecerá espontáneamente silencioso. Ahora bien, el silencio puede ser de dos clases. Hay un silencio sordo y pesado en el que tenemos la sensación de que no sucede nada, de que estamos «encallados». Cuando este silencio se prolonga en exceso, yo suelo sugerir que dejemos de orar durante un rato y tratemos de averiguar la causa de esa situación inerte: ¿estamos demasiado perezosos?, ¿demasiado inhibidos?; ¿nos sentimos realmente a gusto en ese silencio? Por lo general, esa pereza y esa inercia desaparecen cantando algunos himnos, especialmente himnos de alabanza y de acción de gracias, o leyendo algún que otro pasaje de la Escritura.

Y hay otro silencio en el que toda la atmósfera está inequívocamente cargada de devoción y de unción, en el que todo el mundo está «empapado» de oración. Este silencio es hermoso, y es un grave error interrumpirlo con una plegaria o con un himno… simplemente para que «la cosa empiece a moverse». Se requiere una cierta sensibilidad espiritual para distinguir un silencio de otro, y en este sentido el «animador» puede ser de mucha ayuda.

6. Otra dificultad: *las oraciones prolijas* y lo que yo llamo *«orar para la galería»*. Es muy importante que las oraciones no sean excesivamente largas, porque al cabo de un rato resulta bastante difícil prestar atención a lo que se dice. Es mejor hablar brevemente diez veces durante una sesión de oración compartida (medio minuto, un minuto...) que soltar una extensa parrafada de cinco o seis minutos, por mucha unción que se ponga en el asunto.

Orar para la galería no es sino un intento de impresionar a los demás con nuestra oración. A veces «ensayamos» cuidadosamente lo que vamos a decir, bien sea porque estamos nerviosos, bien porque deseamos impresionar. La oración ideal es la que hacemos con los ojos fijos en el Señor, que es a quien oramos, sin preocuparnos demasiado por la estructura sintáctica y la brillantez de lo que decimos; si nuestra oración es sencilla y espontánea, lo de menos es la sintaxis. Por supuesto que no podemos ignorar la presencia de los demás y orar al Señor como si ellos no estuvieran allí. Pero lo único que tenemos que hacer es cerciorarnos de que es a Él a quien dirigimos nuestras palabras; de que es para sus oídos, no para los del grupo, para los que componemos nuestra oración.

7. La última dificultad a la que quiero referirme es la de acudir a la oración compartida *sin haber empleado el suficiente tiempo en la oración personal*. La oración compartida parece resultar más fructífera cuando todos los que participan en ella han insistido durante el día en la oración privada y personal. Conozco a un grupo de oración de «Renovación Carismática» en el que se da por supuesto que, el día en que se reúnen por la noche a orar juntos, cada uno de los miembros del grupo previamente le ha dedicado al menos dos horas a la oración personal. La primera vez que asistí a una de sus sesiones de oración, me edificó mucho no sólo el verles orar, sino también el saber que aquellas personas, laicos en su mayoría, habían madrugado para leer la Escritura y «exponerse» durante dos horas a la presencia del Señor antes de ir a trabajar. No me extraña lo más mínimo, por consiguiente,

que sus sesiones de oración estén grávidas de la gracia y la unción del Espíritu, porque esas personas acuden previamente imbuidas del espíritu de oración, y no para «recargar» sus baterías espirituales agotadas. Ésta es, probablemente, la razón por la que la oración compartida parece ser mucho más fructífera durante unos Ejercicios, cuando todos le dedican mucho tiempo a la oración personal.

Otras advertencias

Lo ideal es que la oración compartida no sea algo demasiado estructurado, sino que se dé a las personas la máxima libertad posible para que intervengan cómo y cuándo se sientan movidas por el Espíritu a hacerlo. Unos preferirán leer un pasaje de la Escritura, otros entonar un cántico (a lo cual podrán unirse o no los demás, según lo que se sientan movidos a hacer), y otros poner en común una reflexión o formular una plegaria.

Sin embargo, suele ser útil comenzar con un breve rato de silencio, durante el cual pueda cada uno reavivar su fe en la presencia del Señor, que de este modo se hace presente. También suele ser de gran ayuda cantar algún himno al comienzo.

Durante los Ejercicios, el principal acento en nuestra oración compartida debería ponerse en pedirle al Señor favores personales relacionados con dichos Ejercicios, y agradecérselos. Fuera de los Ejercicios, sin embargo, conviene practicar frecuentemente la oración de intercesión: orar por las necesidades de otros. Pero, por encima de todo, es muy importante emplear tiempo en la oración de alabanza. Cuando alabamos a Dios por su bondad y por las cosas buenas que ha tenido a bien darnos a nosotros y a los demás, nuestros corazones se iluminan y se llenan de gozo. Yo no conseguí descubrir todo el valor de la oración de alabanza hasta que entré en contacto con el movimiento de renovación carismática. Y es que hay pocas formas de oración tan eficaces como ésta para sentirse amado por Dios... o para reanimar los espíritus deprimidos y superar la tentación. Dice el Salmo 8 que el cantar la majestad y el nombre del Señor ayuda a triunfar sobre los enemigos; y, de hecho, los judíos solían marchar al combate cantando himnos de alabanza al Señor, porque se pensaba que ésta era un arma poderosísima para derrotar al enemigo. Y en el Libro Segundo de las Crónicas (20,20-22) leemos: «Mientras iban saliendo, Josafat, puesto en pie, dijo: "¡Oídme, Judá y habitantes de Jerusalén: tened confianza en Yahvéh, vuestro Dios, y estaréis seguros; tened confianza en sus profetas y triunfaréis!" Después, habiendo deliberado con el pueblo, señaló cantores que, vestidos de ornamentos sagrados y marchando al frente de los guerreros, cantasen en honor de Yahvéh: "¡Alabad a Yahvéh, porque es eterno su amor!" Y, en el momento en que comenzaron las aclamaciones y las alabanzas, Yahvéh puso emboscadas contra los hijos de Ammón, los de Moab y los del monte Seír, que habían venido contra Judá, y fueron derrotados». Digamos, a este respecto, que la oración de alabanza, en el Antiguo Testamento, se expresaba en voz alta, ya fuera gritando, ya fuera cantando... Yo mismo he conocido a personas que me han dicho que el practicar la oración de alabanza les hacía revivir, incluso físicamente. Un trabajador me refería cómo, en medio del estruendo de las máquinas de la fábrica, solía emplear bastante tiempo en alabar a Dios en voz alta (aunque sin gritar *demasiado,* para no ser oído por sus compañeros), y me decía que ello, concluido su turno de noche, le producía el mismo efecto vigorizador que una ducha fría y una taza de café.

Cuando el grupo de oración tiende a hacerse pesado y a caer en la inercia, conviene que el «animador» diga unas palabras acerca de la oración de alabanza y anime a todos a poner sus ojos en el Señor y a alabarle por todas las cosas, las buenas y las malas, pero, sobre todo, por ser el buen Dios que es. Esto, que puede hacerse en forma de oración individual, o bien colectivamente, entonando todos un himno de alabanza, de adoración y acción de gracias, no tardará en producir un cambio muy notable en el grupo.

Y una última y muy importante sugerencia para quienes tengáis la intención de practicar la oración compartida luego de estos Ejercicios: estableced de antemano la duración de la misma (media hora, una hora, dos horas...) y procurad que todo el mundo lo sepa muy claramente. Y cuando dé la hora, y aunque la mayoría de la gente se sienta con ganas de seguir, interrumpid la sesión para que pueda marcharse quien lo desee. Los demás podrán seguir, si así lo quieren. Ello evitará muchas distracciones y la tensión de estar preguntándose cuánto va a durar aquello...

El sacerdote y la oración compartida

El sacerdote, dada su condición de «animador» espiritual, puede encontrar un rico y fecundo apostolado en el grupo de oración. Conozco a sacerdotes que, una vez que han experimentado los beneficios de la oración compartida en unos Ejercicios como éstos, han empezado a orar en compañía de sus colaboradores laicos, catequistas y maestros, obteniendo un gran fruto. Los sacerdotes solemos visitar a nuestra gente, nos interesamos por los enfermos, ofrecemos consejo y dirección espiritual en nuestros despachos..., pero rara vez pensamos en orar con esas personas: sencillamente, es algo que no pertenece a nuestra tradición, al contrario de lo que ocurre con los pastores protestantes. Es más frecuente entre nosotros dar nuestras bendiciones a los fieles o a los enfermos... En ocasiones, después de atender pastoralmente a una persona, la he invitado a orar conmigo: a orar juntos al Señor, presente en medio de nosotros, a presentarle nuestras esperanzas, nuestras dudas y contratiempos, y a pedirle su ayuda. Y casi siempre me ha parecido esto más eficaz y «sanante», tanto para la otra persona como para mí, que el resto de la entrevista.

Una vez que hemos tenido el valor de hacer esa invitación y orar, antes o después de la entrevista (incluso en el confesionario), todo resulta más fácil y más fluido, y jamás me he encontrado con nadie que no se haya alegrado de que yo haya orado con él y por él. Recuerdo perfectamente lo que me dijo en un hospital una enferma que había sido católica y se había hecho pentecostal: «Cuando mi pastor viene a visitarme, se pasa casi media hora orando y leyendo la Biblia conmigo, que es para lo que yo necesito a un pastor. En cambio, cuando me visita un sacerdote católico, se pone a hablar del tiempo o de política; luego me da su bendición y se va». Y es que, como he dicho, no forma parte de nuestra tradición el orar con un enfermo antes de despedirnos de él, o el decirle a una familia a la que hemos visitado: «¿Querrían que rezáramos juntos antes de que me marche?»

Yo he conseguido persuadir a bastantes familias a orar en común cuando las visito. Lo que hago es orar primero yo mismo, y luego les pregunto si hay algo que querrían decirle al Señor. Y siempre tienen mucho que decirle. Al principio me lo dicen a mí, y yo rezo la oración al Señor por ellos; más tarde consigo que sean ellos mismos quienes lo hagan. Otras veces opto por rezar el rosario, que es una oración a la que muchas familias están acostumbradas. Y, entre misterio y misterio, pregunto: «¿Por quién vamos a ofrecer este misterio?» Luego hago una oración espontánea por las personas mencionadas y, poco a poco, van desapareciendo las dificultades para que ellos mismos hagan dicha oración.

En algunos Ejercicios, cuando el número de ejercitantes es elevado, invito a éstos a dividirse en grupos de diez o doce personas para la oración compartida. Por lo general, como estamos haciendo en estos Ejercicios, lo hacemos de noche ante el Santísimo. Creo que, para la mayoría de quienes acudís a hacer esta oración, será una experiencia que habréis de conservar como un auténtico tesoro durante mucho tiempo.

10
Arrepentimiento

Por lo general, al comienzo de unos Ejercicios se acostumbra a meditar sobre el pecado y la maldad de uno mismo y a buscar el perdón de Dios mediante la gracia del arrepentimiento. Pues bien, sobre este tema del arrepentimiento quisiera hablar hoy.

El arrepentimiento:
un modo de experimentar a Cristo

Aun cuando la experiencia de Cristo es una gracia que nunca podremos merecer, ya he sugerido dos cosas que sí podemos hacer, dos disposiciones o actitudes que podemos cultivar en orden a hacernos susceptibles de recibir dicha gracia: a) el deseo ardiente de encontrarnos con él; y b) la constancia en la oración de petición.

Pues bien, una tercera cosa sería el arrepentimiento. Lo expresa maravillosamente el libro del Apocalipsis:

«Escribe al ángel de la Iglesia de Éfeso: "Esto dice el que tiene las siete estrellas en su mano derecha, el que camina entre los siete candeleros de oro: Conozco tu conducta, tus fatigas y tu paciencia en el sufrimiento; que no puedes soportar a los malvados y que pusiste aprueba a los que se llamaban apóstoles sin serlo y descubriste su engaño. Tienes paciencia en el sufrimiento: has sufrido por mi nombre sin desfallecer. Pero tengo contra ti que has perdido tu amor de antes. Date cuenta, pues, de dónde has caído, arrepiéntete y vuelve a tu conducta primera. De lo contrario, iré donde ti y cambiaré de su lugar tu candelero, si no te arrepientes''» (Ap 2,1-5). «Escribe al ángel de la Iglesia de Laodicea: ''Así habla el Amén, el Testigo fiel y veraz, el Principio de las criaturas de Dios: Conozco tu conducta: no eres ni frío ni caliente. ¡Ojalá fueras frío o caliente! Ahora bien, puesto que eres tibio, y no frío ni caliente, voy a vomitarte de mi boca. Dices: 'Soy rico; me he enriquecido; nada me falta'. Y no te das cuenta de que tú eres un desgraciado, digno de compasión, pobre, ciego y desnudo. Te aconsejo que me compres oro acrisolado al fuego para que te enriquezcas, vestidos blancos para que te cubras y no quede al descubierto la vergüenza de tu desnudez, y colirio para que te des en los ojos y recobres la vista. A los que amo, yo los reprendo y corrijo. Sé, pues, ferviente y arrepiéntete. Mira que estoy a la puerta y llamo; si alguno oye mi voz y me abre la puerta, entraré en su casa y cenaré con él, y él conmigo''» (Ap 3,14-20).

La necesidad del arrepentimiento

Estas palabras del Apocalipsis son muy características de la actitud que muestra Jesús en los evangelios. El arrepentimiento es el tema de su primera predicación: «El Reino de los Cielos está cerca: arrepentíos y creed el Evangelio». Y, de hecho, es también el tema de los primeros sermones de los Apóstoles: «Arrepentíos», dice Pedro, «y que cada uno de vosotros se haga bautizar en el nombre del Señor Jesús, para remisión de vuestros pecados, y recibiréis el don del Espíritu Santo» (Hch 2,38).

En realidad, el arrepentimiento es la actitud fundamental del cristiano, y una actitud permanente. Lo primero que debe hacer el cristiano es confesar su pecado. Sin excusas, sin pretensiones ni autojustificaciones de ningún género. Y debe confesar, además, su incapacidad para librarse del pecado y su absoluta necesidad del poder salvífico de Jesús: «Porque querer el bien lo tengo a mi alcance, mas no el realizarlo, pues no hago el bien que quiero, sino que obro el mal que no quiero. Y, si hago lo que no quiero, no soy yo quien lo obra, sino el pecado que habita en mí. Descubro, pues, esta ley: que, en queriendo hacer el bien, es el mal el que se me presenta. Pues me complazco en la ley de Dios, según el hombre interior, pero advierto otra ley en mis miembros que lucha contra la ley de mi razón y me esclaviza a la ley del pecado que está en mis miembros. ¡Pobre de mí! ¿Quién me librará de este cuerpo que me lleva a la muerte? ¡Gracias sean dadas a Dios por Jesucristo nuestro Señor!« (Rom 7,18-25).

Es importante que el cristiano experimente ese «¡Pobre de mí! ¿Quién me librará...?» de san Pablo. Pero ¿quién de nosotros no lo ha experimentado constantemente en su vida? Por eso podemos acercarnos a Jesús sin ninguna confianza en nosotros mismos, sino confiando enteramente en su poder. Jesús afirma explícitamente que es para tales personas, los «pecadores», para quienes ha venido, no para los «justos». Si somos «justos», si somos unos «perfectos santos», entonces Jesús no ha venido para nosotros, no tiene el menor interés en nosotros. Hemos de tener mucho cuidado con esa «justicia», porque puede llevarnos a la misma ceguera y dureza de corazón de que adolecían los fariseos. Y, en mi opinión, si hoy nos resulta especialmente difícil adquirir este sentido de impotencia y de la necesidad que tenemos de Jesús, es porque hemos perdido en gran medida el sentido del pecado.

El sentido del pecado

El pecado es algo que hoy minimizamos enormemente, a pesar de que Jesús parecía darle una gran importancia. «Éste es el cáliz de mi sangre, sangre de la Alianza nueva y eterna... que será derramada por vosotros y por todos los hombres para el perdón de los pecados», dice el sacerdote en el momento más solemne de la Eucaristía repitiendo las propias palabras de Jesús. «Recibid el Espíritu Santo», dice también Jesús a sus discípulos después de la Resurrección: «a quienes perdonéis los pecados, les quedan perdonados; a quienes se los retengáis, les quedan retenidos» (Jn 20,22-23). Y en la oración del Padrenuestro nos manda pedir únicamente tres cosas: nuestro pan de cada día, fuerza moral para resistir la tentación, y el perdón de los pecados. Y si envía el Espíritu, es para que éste convenza al mundo «en lo referente al pecado, a la justicia y al juicio» (Jn 16,8).

No hay ninguna duda de que el perdón de los pecados es de vital importancia para Jesús. Y espero poder mostraros el porqué cuando, más tarde, os hable del aspecto social del pecado. Justamente al comienzo de los evangelios se nos dice que la salvación que Jesús nos trae es la salvación del pecado, no una salvación ante todo económica, social o política, como actualmente afirman algunos. «José, hijo de David», dice el ángel, «no temas tomar contigo a María tu esposa, porque lo concebido en ella viene del Espíritu Santo. Ella dará a luz un hijo a quien pondrás por nombre ''Jesús'', porque él salvará a su pueblo de sus pecados» (Mt 1,20-21). Y hay otros muchos textos del Nuevo Testamento que insisten en que ésta es la razón de la encarnación de Dios. He aquí un ejemplo: «Es cierta y digna de ser aceptada por todos esta afirmación: Cristo Jesús vino al mundo a salvar a los pecadores» (1 Tim 1,15). En Rom 5,8 se nos dice que la prueba de que Dios nos ama es que, siendo nosotros pecadores, Cristo murió por nosotros. Y en 1 Jn 4,10 se afirma que Dios envió a su Hijo como propiciación por nuestros pecados.

El perdón de los pecados es para Jesús un asunto mucho más vital que la salud corporal o la prosperidad material. Si cura al paralítico de Mt 9, lo hace simplemente para mostrar a sus adversarios que a él le ha sido dada una gracia mucho mayor aún: la de perdonar los pecados. Para nosotros, en cambio, que tal vez tengamos menos sensibilidad espiritual que en épocas pasadas, el perdón de los pecados no ocupa uno de los primeros lugares en la lista de los bienes deseables. Justamente por eso tenemos mayor necesidad del don del arrepentimiento.

El significado del arrepentimiento

No quisiera que pensarais, sin embargo, que el arrepentimiento consiste simplemente en tomar conciencia del pecado y afligirse por ello. La aflicción por el pecado no es más que un aspecto del arrepentimiento, y en modo alguno el más importante. El arrepentimiento se expresa en griego con la palabra *metanoia,* que alude a un cambio total de corazón y de mente, a una renuncia al egoísmo, por parte de nuestro corazón y de nuestra mente, para volvernos a Dios. Tal vez la fórmula que mejor expresa el arrepentimiento sea el mandamiento enunciado por Jesús: «Amarás al Señor tu Dios con todo tu corazón, con toda tu alma, con todas tus fuerzas y con toda tu mente, y a tu prójimo como a ti mismo» (Lc 10,27). Por más que yo vierta lágrimas amargas por mis pecados y le diga a Dios cuán afligido estoy por ellos y le pida que me perdone, todo ello no basta para hacerme poseer el don del arrepentimiento, porque puede que aún no esté dispuesto a renunciar a todas mis «afecciones desordenadas», a amar a Dios sin restricciones y a vivir de un modo radicalmente nuevo, con las actitudes radicalmente nuevas que ello implica. Lo expresa perfectamente el pasaje del Apocalipsis que citábamos al comienzo, donde se habla de una Iglesia que realmente había trabajado duro y había sufrido con paciencia por la causa del Señor: «Conozco tu conducta, tus fatigas y tu paciencia... Tienes paciencia en el sufrimiento: has sufrido por mi nombre sin desfallecer...» También ha demostrado fidelidad a Su verdad y capacidad de discernimiento, rechazando las falsas enseñanzas y a los falsos *apóstoles.* Sin embargo, el Señor no está satisfecho. Aquella Iglesia necesita aún arrepentirse, porque se ha quedado corta en el *amor:* «Tengo contra ti que has perdido tu amor de antes. Date cuenta, pues, de dónde has caído, arrepiéntete y vuelve a tu conducta primera».

Pero hay otra característica de la gracia del arrepentimiento, y es que va siempre acompañada de una alegría y una paz inmensas. Cuando, en Ejercicios, se toca el tema del arrepentimiento y la aflicción por el pecado, la gente, por lo general, se prepara a soportar una verdadera avalancha de sentimientos «negativos»: sentimientos de culpa y de autoaborrecimiento, sensación de tristeza y de lóbrego pesimismo. Pero quien confunde la aflicción por el pecado con la tristeza, es que no ha experimentado la aflicción por el pecado que proviene del Espíritu. Es muy frecuente el caso de quienes, después de confesar sus pecados, afirman sentirse felices y dichosos, como si les hubieran quitado un peso de encima. No deja de ser paradójico el que las lágrimas de aflicción por haber ofendido a Dios puedan coexistir con sentimientos de alegría por haber encontrado de nuevo a ese mismo Dios, por saber que Él nos sigue amando y que ha olvidado todos nuestros pecados. Pero ¿no es precisamente así como debe ser? Cuando un hombre que se ha perdido en el bosque encuentra al fin el camino para regresar a su casa, cuando un hombre recupera un tesoro que había extraviado, ¿no hay motivo para alegrarse intensamente?

Jesús relaciona siempre el arrepentimiento con sentimientos de profunda alegría, y nos cuenta con exquisita delicadeza cómo se alegra el Padre cuando el hijo pródigo regresa a su casa, o el pastor cuando recobra la oveja perdida, o los ángeles de Dios cuando se arrepiente un pecador... ¿Cuál no será, pues, la alegría del hijo que se ve nuevamente acogido en la casa del Padre, o la de la oveja que encuentra el camino hacia el redil, o la del pecador que comprueba el deleite que Dios experimenta con su arrepentimiento? Así pues, si alguno de vosotros se había predispuesto a llenarse de tristeza y pesimismo cuando he sugerido el tema del arrepentimiento para la meditación de hoy, quiero que sepa que ha de disponerse a experimentar justamente los sentimientos contrarios: *alegría,* por saber que va a ser abrazado de nuevo por el Padre, y *amor,* un amor realmente intenso: todo el amor que su corazón pueda sentir hacia Él y hacia su Hijo Jesucristo. No conozco una manera mejor de arrepentirse que repetir una y otra vez: «¡Dios mío, Tú sabes que te amo y que deseo amarte con todo mi corazón, con toda mi mente, con todas mis fuerzas...!»

El arrepentimiento es fruto del encuentro con Cristo

Al comienzo de esta charla he hablado del arrepentimiento como un «medio» para el encuentro con Cristo. Lo cual es cierto... únicamente en parte, porque, generalmente, el encuentro con Cristo es previo a la gracia del arrepentimiento. Sin duda que se da incoativamente alguna forma de arrepentimiento que nos ayuda a experimentar a Cristo más profundamente; pero sólo después de esta experiencia recibimos en toda su plenitud la gracia del arrepentimiento; sólo después de habernos encontrado con él comprendemos lo que es el pecado y lo que es el amor. Sólo después de ver la luz, tras el encierro en un lóbrego calabozo, comprende el hombre cuán oscuro era dicho calabozo y cuán maravillosa es la luz; mientras estaba encerrado, sus ojos se habían acostumbrado a la oscuridad, y hasta puede que hubiera dejado de ser consciente de hallarse a oscuras y de tener necesidad de la luz. No es el pecador quien comprende lo que es el pecado, sino el santo, porque sólo el santo ha accedido a la luz de Dios. Si conocemos nuestro pecado, es gracias a la revelación de Dios, no mediante la razón.

La Escritura nos ofrece muchos ejemplos al respecto. Pablo creía estar sirviendo a Dios mientras perseguía a la Iglesia. Sólo después de su encuentro con Cristo comprende su pecado, y será entonces cuando se considere a sí mismo como inferior a todos los apóstoles y hasta indigno de ser llamado «apóstol», por haber perseguido a la Iglesia de Cristo (cf. 1 Cor 15,9). Llegará incluso a calificarse a sí mismo como el mayor de todos los pecadores (cf. 1 Tim 1,15). Pero, para comprender todo esto, tuvo primero que encontrarse con el Señor. Y lo mismo puede decirse de Pedro, que primeramente descubre quién es realmente Jesús, y sólo entonces puede exclamar: «¡Aléjate de mí, Señor, que soy un hombre pecador!» (Lc 5,8); una exclamación semejante a la del profeta Isaías cuando, tras describir la visión que ha tenido de Dios, se hace vivamente consciente de su pecado: «¡Ay de mí, que estoy perdido, pues soy un hombre de labios impuros!» (Is 6,5). Recordemos también cómo Zaqueo se arrepiente y se convierte después de que el Señor ha visitado su casa (Lc 19), y cómo la pecadora pública vierte lágrimas de amor y de arrepentimiento cuando se encuentra con el Señor (Lc 7).

¿Y no es precisamente así como debe ser? Porque ¿cómo podemos afligirnos por haber ofendido al Señor si antes no lo amamos? ¿Y cómo vamos a amarlo si antes no entramos en contacto con él y tenemos alguna experiencia de él? Por eso es por lo que yo pienso que la meditación del pecado y el arrepentimiento no es la meditación de los que se inician en la vida espiritual, sino la de los grandes santos, la de los hombres que han progresado mucho en el camino de la santidad. Y por eso no debe sorprendernos que el santo Cura de Ars deseara ardientemente huir de su parroquia y hacerse ermitaño. ¿Por qué? ¡Porque quería llorar sus pecados! Ya sé que puede resultar desconcertante e ininteligible... para aquellos de nosotros que aún no hemos comprendido lo que significa amar a Dios y ser amados por Él; para aquellos de nosotros que aún no hemos «visto» al Señor.

No debemos desanimarnos, por tanto, si no obtenemos inmediatamente esta gracia extraordinaria. Probablemente, el Señor está aguardándonos al final, cuando nuestro amor por Él se haya hecho mucho más profundo. Contentémonos, pues, de momento, con desearle ardientemente y amarle cuanto podamos. Hace tiempo, encontré una oración atribuida a san Anselmo y que quiero que conozcáis, porque expresa admirablemente, a mi modo de ver, las diversas fases por las que atraviesa la mayoría de las personas antes de caer plenamente en la cuenta de sus pecados y de afligirse por ellos (fases que constituyen una descripción bastante acertada de la gracia del arrepentimiento en toda su plenitud: el deseo de Dios, el amor a Dios y el aborrecimiento del pecado). Dice así la oración: «Señor y Dios nuestro, concédenos la gracia de desearte con todo nuestro corazón, para que, deseándote, podamos buscarte y encontrarte; encontrándote, podamos amarte; y, amándote, podamos aborrecer todo aquello de lo que nos has redimido. Amén».

Algunos textos bíblicos

En mi siguiente charla hablaré de los peligros que encierra la meditación sobre el arrepentimiento y sobre nuestro pecado. Pero ahora me gustaría ofreceros algunos de los muchos textos bíblicos que pueden ayudarnos a meditar sobre este asunto. Citaré primero algunos textos del Nuevo Testamento, y luego otros del Antiguo Testamento.

Lucas 7,36-50: La mujer de Magdala. Fijaos cómo insiste Jesús en el amor en relación al perdón de los pecados. *Lucas 15:* Las parábolas de la misericordia (la oveja perdida, la dracma perdida y el padre del hijo pródigo). El acento se pone en la alegría y en la bondad tierna y amorosa. *Hechos 9:* La conversión de Pablo. *Juan 4,5-42:* La conversión de la mujer samaritana. *Lucas 19,1-10:* La conversión de Zaqueo. *Juan 21,1-19:* La confesión de amor de Pedro. *1 Tim 1,12-17:* Un pasaje muy consolador en el que Pablo explica que, si Dios ha hecho tales prodigios con él, ¿qué no hará con otros que confían en Él? *Apocalipsis 2,1-7; 3,14-22:* El Amante está a la puerta y llama, como si Él necesitara más de nosotros que nosotros de Él; fijaos en la similitud con el pastor que sale en busca de la oveja perdida y con el padre que aguarda a su hijo pródigo.

El Antiguo Testamento contiene abundantes episodios para meditar sobre el pecado y el arrepentimiento. Me limitaré a citar algunos pasajes de los libros proféticos: *Ezequiel 16; Jeremías 2; Oseas 2; Isaías 63,7 - 64,11,* que contiene una conmovedora oración que podéis perfectamente hacer vuestra.

Por encima de todo, no tratéis de «producir» la gracia del arrepentimiento y de la aflicción por el pecado, sino *pedidla*. Pedid la gracia de amar a Dios. Pedid la gracia de encontraros con Él en vuestra oración durante estos días. El arrepentimiento vendrá por sí solo.

11
Los peligros del arrepentimiento

Cuando el arrepentimiento no es correctamente entendido, cuando se insiste demasiado en la culpa, en el temor al castigo y en el autoaborrecimiento, entonces el arrepentimiento resulta algo sumamente peligroso. Todas las cosas buenas son peligrosas, y la gracia del arrepentimiento no constituye una excepción. Me gustaría, en esta charla, enumerar algunos de los peligros que acechan en este tema del arrepentimiento.

La negativa a perdonarse a sí mismo

Dios no desea otra cosa que perdonarnos. Por nuestra parte, ni siquiera tenemos que decir: «lo siento». Lo único que tenemos que hacer es desear volver a Él, que ni siquiera dejará que el hijo pródigo acabe de pronunciar el breve discurso de arrepentimiento que había preparado para la ocasión. Nada hay más fácil en el mundo que obtener el perdón de Dios, el cual está más dispuesto a conceder el perdón que nosotros a recibirlo.

El problema, por tanto, no es de Dios, sino nuestro. La verdad es que son muchos los que se niegan a creer que el perdón sea algo que puedan obtener tan fácilmente. Y, lo que es peor, se niegan a perdonarse a sí mismos. Están constantemente obsesionados pensando en lo malos y miserables que han sido, deseando no haber pecado nunca y haber conservado siempre limpio el «expediente».

Luego pasan a desarrollar un falso sentido de indignidad: son totalmente indignos de las gracias de Dios, por lo que deben hacer penitencia, purificarse y expiar completamente sus pecados antes de poder ser nuevamente dignos de dichos favores. En mi opinión, no existe mayor obstáculo al progreso en la vida espiritual que este falso sentido de indignidad. Ni siquiera el pecado. El pecado, lejos de ser un obstáculo, puede ser una ayuda verdaderamente positiva si hay arrepentimiento. Pero este falso sentido de indignidad (esta negativa por nuestra parte a olvidar el pasado y a aventurarnos en el futuro) hace que nos resulte sencillamente imposible todo progreso. Conocí a un sacerdote que había llevado una vida verdaderamente lamentable después de su ordenación. Yo estaba convencido de que, en la oración, Dios le estaba concediendo unas gracias realmente extraordinarias, invitándole a la más alta contemplación. Pero me fue imposible convencerle de ello, porque él se consideraba un pecador despreciable, un ser indigno; por eso, todo cuanto pudiera parecer una gracia especial de parte de Dios le resultaba sospechoso y engañoso. En realidad no era más que una sutil forma de orgullo. La gracia de Dios puede triunfar fácilmente sobre el pecado, pero le cuesta muchísimo vencer esta forma de resistencia.

Permitidme que os refiera otro ejemplo: el de un seminarista atormentado por un problema sexual que trataba de superar con más voluntad que acierto. Paseando un día con él, de pronto descubrí que toda su concepción de Dios era absolutamente pagana. Tenía ante mí a un seminarista con ciertas nociones de teología y que, sin embargo, no había escuchado aún la Buena Noticia. El Dios con el que él se debatía era el Dios de la razón o, si se quiere, el Dios de cualquier otra religión, pero no el Padre de nuestro Señor Jesucristo. Aquel muchacho estaba obsesionado por su sentido de indignidad y por la necesidad de purificarse y hacer penitencia antes de poder acercarse a su Dios y establecer con él unas relaciones de amor. Mientras él hablaba, se me ocurrió una comparación un tanto fantástica y quise comunicársela. Le dije: «Te veo como si fueras una mujer que, tras haberle sido infiel a su marido y haberse hecho prostituta, está afligida por sus pecados y ha regresado a casa; pero no se atreve a entrar y se ha quedado en la calle, vestida de saco y cubierta de cenizas, decidida a hacer penitencia por sus pecados. Y allí, en la calle, se queda días, semanas, meses... ¿De qué le vale a su marido semejante penitencia? Lo que él quiere es tener nuevamente su amor, volver a sentir el calor de su cuerpo y disfrutar de sus caricias. Pero la mujer se obstina en ''purificarse'' antes de cualquier otra cosa (o quizá lo único que le ocurre es que le da demasiado miedo asumir el riesgo de entrar en la casa, abrazar a su marido y decirle que sigue amándole)». El seminarista, que me había escuchado con mucha atención, me dijo muy lentamente: «Eso es precisamente lo que me ocurre: que no me atrevo a entrar. Me horroriza demasiado afrontar el riesgo, porque temo ser rechazado». Entonces le dije yo: «¿Serías capaz de ir ahora mismo a la capilla y, olvidándote de todos tus pecados y de tus problemas sexuales, limitarte a mirar al Señor y decirle: ''Señor, te amo con todo mi corazón''?». «No, no me atrevo», me respondió. «Bueno, pues trata de hacerlo aquí mismo», le dije; «oremos juntos en silencio durante un rato; vamos a olvidarnos ambos de nuestros propios pecados y vamos a centrar nuestros corazones en el Señor y a decirle que le amamos». Así lo hicimos durante cinco minutos, y aquélla fue una experiencia sumamente emocionante tanto para él como para mí.

Muchos de nosotros no hemos aprendido aún que el arrepentimiento no consiste en decir: «Señor, lo siento» (me impresionó mucho la célebre frase de la novela *Love Story:* «Amar significa no tener nunca que decir: ''lo siento''»), sino: «Señor, te amo con todo mi corazón». ¿No habéis caído nunca en la cuenta de que, en el Nuevo Testamento, jamás dice Jesús que tengamos que estar afligidos para obtener el perdón de los pecados? Por supuesto que Jesús no excluye semejante aflicción, pero tampoco la exige explícitamente. Sin embargo, nosotros hemos montado toda una historia a propósito de la contrición, y todos hemos conocido a penitentes que, en lo referente al perdón, sólo se preocupaban por saber si tenían suficiente contrición, si su contrición era «perfecta» o «imperfecta», y tantas otras dudas igualmente irrelevantes. Y, mientras nosotros nos hemos hecho un lío con algo que Jesús no nos exigía explícitamente, hemos pasado por alto con enorme facilidad lo que sí nos exigía de manera explícita e insistente. Jesús dijo: «Si queréis ser perdonados por mi Padre, tenéis que perdonar a vuestro hermano». Pero esta condición brillaba por su ausencia entre las condiciones para una «buena confesión» que se enumeraban en nuestros viejos catecismos. Éramos sumamente meticulosos a la hora de examinar nuestra conciencia, decirle todos nuestros pecados al confesor, hacer un acto de perfecta contrición, formular el propósito de enmienda y cumplir la penitencia que se nos impusiera. No se nos había dicho explícitamente que mucho más importante que todo eso era que perdonáramos a nuestro hermano cualquier mal que nos hubiera hecho, hasta el punto de que, si esta condición no se cumplía, sencillamente no se nos perdonarían los pecados, por muy perfecta que fuera nuestra contrición o por muy exacta que fuera la relación de pecados que confesáramos ante el sacerdote.

Pero hay otra cosa que también nos exige Jesús si queremos que se nos perdonen los pecados: amor. Así de simple. «Ven a mí», viene a decir Jesús, «dime que me amas, y tus pecados serán perdonados». Estamos habituados a pensar en las lágrimas de aquella mujer de Magdala como si fueran lágrimas de dolor por sus pecados. Y yo me pregunto de dónde hemos podido sacar semejante idea, teniendo en cuenta que Jesús afirma explícitamente que las lágrimas de aquella mujer y todo cuanto hace no eran sino expresión de su amor: se le perdonan muchos pecados *porque* ha amado mucho. Y después de las negaciones de Pedro, lo que Jesús le pide es una expresión de amor: «Simón, hijo de Juan, ¿me amas más que éstos?» En esto precisamente consiste el arrepentimiento;

y, si somos profundamente conscientes de ello, nos evitaremos todo el desánimo, la tristeza y hasta el excesivo miedo a Dios que muchas personas sienten cuando meditan en su pecado y piden la gracia del arrepentimiento. Os aconsejo que estéis un buen rato con el Señor después de esta charla; un buen rato dedicado al arrepentimiento y en el que no hagáis sino decirle una y otra vez, como Pedro: «Señor, tú lo sabes todo; tú sabes que te amo».

Y ello nos lleva a otra de las características del Dios cristiano al que antes me refería, en oposición al Dios de la razón y a cualesquiera otros dioses; una característica también de la Buena Noticia que Jesús predicaba, en oposición a los dogmas de una religión racional y «sensata». Y esa característica es la siguiente: para Jesús, aun cuando el pecado sea el mayor de los males imaginables, el ser pecador es un valor. Odiad el pecado con toda el alma y tratad de evitarlo; pero, si habéis pecado y (esto es importante) os arrepentís, entonces tendréis motivo para estar alegres, porque hay mayor alegría en el cielo por un pecador que se arrepiente que por noventa y nueve justos que no tienen necesidad de conversión. ¿Quién puede comprender esta especie de insensatez? Es la clase de insensatez que se apodera de la Iglesia cuando, en la vigilia pascual, habla del pecado de Adán como un «pecado necesario», como «feliz culpa», porque nos trajo a nuestro Salvador, Jesucristo. Con lo cual la Iglesia se hace eco de lo que dice Pablo a los Romanos: «Donde abundó el pecado, sobreabundó la gracia» (Rom 5,20). Evidentemente, Pablo comprende el valor que tiene el hecho de que hayamos pecado y llega a la siguiente conclusión lógica: ¿Por qué no pecar deliberadamente, para que podamos recibir todavía más gracia? Pero retrocede horrorizado ante semejante conclusión: ¡Dios nos libre!, dice. Nos hallamos ante un misterio que excede la capacidad de comprensión de la mente humana. Por eso es importante mantener la verdad de ambos opuestos. Odia el pecado; y, si has pecado y te has arrepentido, considérate verdaderamente afortunado, porque la gracia va a derramarse sobre ti a raudales. El pecador arrepentido (el pecador que retorna a Dios con amor) atrae a Dios sobre sí como si fuera un imán, porque no sólo no le resulta a Dios odioso y repugnante, sino que le resulta irresistible. Ésta es la Buena Noticia. Y todo lo demás acerca de la negra aflicción y la expiación por los pecados no es *Buena* Noticia en absoluto, sino muy vieja, porque ya la conocíamos sin necesidad de la Proclamación de Jesús.

El excesivo miedo a Dios

He aquí otro de los efectos perniciosos de la meditación sobre el pecado incorrectamente hecha: el excesivo miedo a Dios y a su castigo. Personalmente, me impresiona muchísimo el gran número de cristianos e incluso sacerdotes (y yo diría que *especialmente* sacerdotes) que le tienen un enorme miedo a Dios. Siguen estando presos de una religión de la ley, veinte siglos después de que Jesús predicara a un Dios que era amor y liberación de la pesada carga de la ley. Tales personas no son necesariamente seres escrupulosos, y muchas veces ni siquiera son conscientes de ese miedo que rige su vida espiritual. Lo que ocurre es que su trato con Dios se caracteriza por una serie sin fin de deberes y obligaciones. Si, por lo que sea, se ven en peligro de muerte, lo primero que hacen es pedir inmediatamente la confesión (emplean el sacramento de la reconciliación con unos fines totalmente ajenos a la mentalidad de Jesús: para obtener una garantía que les permita presentarse ante Dios como seres intachables, para «protegerse» de Dios y de su juicio). Nunca se les ha ocurrido pensar cuán repugnante es la sola idea de que un cristiano, con independencia de lo pecador que pueda ser, deba tratar de protegerse de su Padre celestial. Un buen ejemplo de este miedo inconfesado es la enfermiza obsesión con que muchos sacerdotes solían rezar el «breviario». (También es miedo lo que movía y sigue moviendo a muchos católicos a ir a Misa los domingos... aunque luego rechacemos violentamente toda acusación en el sentido de que nuestra religión es una religión de la Ley, una copia exacta de la religión de los fariseos, a la que tanto atacó Jesús). Se creía antaño que el dejar de rezar la más pequeña de las horas del breviario era pecado mortal, lo cual significaba que el Padre de los cielos podía arrojarle a uno a los infiernos por semejante ofensa (y os pido que no vengáis luego a discutir conmigo sobre esto, porque me sé de memoria todos los argumentos acerca de la pequeñez del fruto prohibido y de la maldad de la desobediencia de Adán y Eva... Soy perfectamente consciente de cómo, en nuestra neurótica obsesión por controlar a la gente a base de aumentar el número de pecados mortales, permitimos a nuestra razón elaborar las más absurdas conclusiones «lógicas»).

Una víctima de esta antigua mentalidad era un sacerdote que, durante veinte años de vida sacerdotal, jamás había omitido el rezo del breviario, la meditación y el examen de conciencia. Pero su oración y su trato con Dios en general se caracterizaban por una enorme falta de alegría. En cierta ocasión, vino a verme y me dijo: «A veces tengo la absurda sensación de que, si no hubiera mandamientos, yo sería un santo, porque me sentiría enormemente libre y liberado... y sé que cumpliría espontáneamente todos y cada uno de tales mandamientos». Me hizo recordar a un amigo jesuita que me había dicho que, hasta que entró en la vida religiosa, nunca se había dado cuenta de lo mucho que disfrutaba estudiando: en su casa, por lo visto, su madre le importunaba tanto con que tenía que estudiar, que él se sentía «obligado» a hacer bajo coacción y a disgusto lo que en realidad habría hecho con verdadero agrado y entusiasmo si le hubieran dejado en paz. Y recordé también a otro joven estudiante jesuita que era una persona sumamente piadosa, una especie de «modelo» de religioso, pero que parecía estar siempre triste, a pesar de sus esfuerzos (para mí artificiales) de parecer alegre. Un día, en un momento de profundísima intuición, sacó a la luz la raíz de su tristeza. Se encontró a sí mismo diciendo a ese Dios a quien trataba de servir con todo su corazón y con toda su alma: «Oh Dios, la verdad es que te odio. Eres un aguafiestas. Mientras tú estés ahí, yo no podré disfrutar de la vida, porque tú no me lo permites; porque tú no quieres dejarme en libertad». Hay (o ha habido, al menos) algo muy,

muy, muy equivocado en nuestra comprensión de Jesús y de su mensaje.

Para acabar con este miedo neurótico a Dios necesitamos comprender de otra manera la ley y el lugar que la ley ocupa en nuestra vida. No estoy abogando en favor de la abolición de la ley, sino de otra manera de entenderla. El problema no son las exigencias de la ley. (Las personas que desearían verse libres de las exigencias de la ley y vivir bajo el Espíritu, con la ilusión de que así podrían vivir fácil y desahogadamente para siempre, no tienen ni idea del dolor que acarrea la libertad ni de las exigencias, todo lo amorosas que se quiera, del Espíritu, mucho mayores que las de cualquier ley que pueda imaginarse). Así pues, el problema no son las exigencias de la ley, sino la propia ley, en la medida en que engendra el miedo, nos violenta y nos hace incapaces de servir a Dios libremente. Por eso necesitamos comprender la ley de distinta manera si queremos responder amorosa y libremente al Dios proclamado por Jesús.

Pero hay otra cosa que también es necesaria: una mejor comprensión del amor que Dios nos tiene, un amor incondicional. ¿No habéis reparado en el amor de una madre por su hijo? No le ama porque sea bueno, sino porque es su hijo. Por supuesto que desea que su hijo sea bueno y cada vez mejor: la madre de un criminal querría que su hijo se apartara del mal camino; pero, como es madre, no deja de amarle. Jamás dirá: «Deja de ser un criminal, y te querré». Lo que dice es: «Odio tus crímenes, pero, a pesar de todo, sigo queriéndote con toda mi alma, porque eres mi hijo». Si hay alguna esperanza de que ese individuo cambie, se deberá a ese amor incondicional que hacia él siente su madre. ¿Nos atreveremos a creer que así es como Dios nos ama a nosotros?

Los escrituristas nos hablan de la diferencia existente entre los mensajes del Antiguo Testamento y los del Nuevo. Expresándolo de un modo que todo el mundo pueda entender, diríamos que el Dios del Antiguo Testamento venía a decir lo siguiente: «Si sois buenos y obedientes, yo seré bondadoso con vosotros; pero, si sois díscolos y rebeldes, me enfadaré con vosotros y os destruiré». Jesús nos muestra, por así decirlo, a un Dios diferente; un Dios que es igualmente bueno para con justos y pecadores, un Dios que a todos otorga el beneficio de la lluvia, del sol y de su propio amor. El amor de Dios no se concede en exclusiva a quienes cumplen determinadas condiciones, del mismo modo que el amor de una madre no se circunscribe únicamente a los hijos que obedecen sus normas. Predicar a un Dios como éste, como hizo Jesús, es muy peligroso; pero con el amor siempre ocurre lo mismo: el que ama acepta el riesgo y se hace susceptible de que abusen y se aprovechen de él; ¿cómo, si no, va a ganarse el amor del otro? Y éste es el riesgo que Jesús estuvo dispuesto a aceptar (y que aceptó, de hecho) cuando nos mostró la verdadera manera de ser de su Padre.

Recuerdo que nuestro maestro de novicios nos decía: «El día verdaderamente señalado en vuestra vida espiritual no será el día en que *creáis* que Dios os ama, sino el día en que *comprendáis* que os ama». Muchos años de experiencia (mía y de otros) me han demostrado que aquel hombre tenía razón. Es verdaderamente extraordinaria la transformación que se produce en nuestras vidas, la rapidez con que empezamos a cambiar, cuando logramos caer en la cuenta y comprender cuánto y de qué manera tan incondicional nos ama y nos acepta Dios. Recuerdo también haber leído acerca de un pastor protestante que, al parecer, tenía una habilidad especial para propiciar el encuentro con Cristo precisamente ayudando a experimentar el amor incondicional de Cristo. Si alguien acudía a él y le decía: «Me gustaría encontrarme con Cristo. ¿Cómo y dónde puedo hacerlo?», el pastor se llevaba a aquella persona a un lugar tranquilo, donde no era probable que les molestara nadie, y le decía algo así (os lo cuento lo más fielmente que soy capaz de recordarlo, porque pienso recomendaros que más tarde lo hagáis vosotros por vuestra cuenta): «Quiero que cierres los ojos y escuches cuidadosamente lo que te diga: Jesucristo, el Señor resucitado, está presente aquí con nosotros. ¿Lo crees así?» Después de un breve silencio, el otro respondía: «Sí, lo creo». «Escucha ahora algo que quizá te resulte más difícil creer», proseguía el pastor; «escucha atentamente: Jesucristo, el Señor resucitado, te ama y te acepta tal como eres. No tienes que cambiar. No tienes que ser mejor. Ni siquiera tienes que liberarte de tu pecado. No tienes que hacer nada de eso para conseguir su amor, porque ahora mismo ya lo tienes, sea cual sea el estado en que te encuentres. De hecho, si sabemos cuán intensamente nos ama, es precisamente porque nos ama a pesar de ser pecadores, hasta el punto de estar dispuesto a morir por nosotros. ¿Crees esto?» Por lo general, transcurría una larga pausa antes de que el otro respondiera: «Sí, creo que Jesús, que está aquí, me ama tal como soy». «Entonces», decía el pastor, «dile algo a Jesús. Díselo en voz alta». El otro no solía tardar mucho en agarrar las manos del pastor y decir: «¡Tienes razón! ¡Él *está* aquí! ¡Puedo sentir su presencia!»

No es que yo recomiende esto a todo el mundo como un modo infalible de propiciar la experiencia de la presencia de Cristo. Puede que fuera un carisma especial que poseía aquel pastor. Sin embargo, sí se lo he recomendado a algunas personas, con excelentes resultados. Recuerdo que se lo propuse a un numeroso grupo de unos doscientos seminaristas y sacerdotes durante una Hora Santa que celebramos, en la víspera de la fiesta del Sagrado Corazón, en el transcurso de unos Ejercicios. Les dije que estuvieran unos cuantos minutos tomando conciencia de la presencia del Señor resucitado. Luego les sugerí que emplearan algún tiempo en dejarse penetrar por la otra verdad: que Jesús les amaba y les aceptaba tal como eran. Finalmente, les dije que abrieran sus corazones al Señor en amorosa oración. Muchos de ellos me dijeron más tarde que aquélla había sido la oración más eficaz y real que habían hecho en todos los Ejercicios. También recuerdo haber realizado este ejercicio con una comunidad de religiosas, las cuales me dijeron que les había supuesto unas gracias espirituales realmente extraordinarias.

A pesar de mi profunda aversión a conceder crédito a todo tipo de visiones y revelaciones, incluidas las de santa Margarita María, relacionadas con la devoción al Sagrado

Corazón, yo creo enormemente en la eficacia de esta devoción y estoy dispuesto a aceptar dichas revelaciones como un ejemplo del don de profecía que Cristo sigue ejerciendo para comunicarse con su Iglesia a lo largo de los siglos. Según esta devoción, Cristo habría afirmado que quien la practicara experimentaría indecibles beneficios en su vida espiritual (los pecadores recibirían la gracia de la conversión; los santos harían extraordinarios progresos en la santidad...), y quien la propagara obtendría en su apostolado unos frutos muy superiores a todo cuanto pudiera esperarse. Todo ello tiene para mí un perfecto sentido. Y no confundamos, por favor, la devoción al Corazón de Cristo con esas infinitas prácticas devocionales que hemos tenido que padecer, muchas de ellas verdaderamente insoportables y sentimentaloides. Ni la confundamos tampoco con el símbolo del corazón traspasado, que a unos les dice mucho y a otros les inspira verdadera aversión. Tal como yo lo veo, la esencia de esta devoción consiste en aceptar ese amor que el Padre nos tiene en Jesucristo; aceptar el hecho de que Jesús nos ama incondicionalmente, de que él es el amor mismo. Si alguien acepta esta verdad en su propia vida y ayuda a otros a aceptarla, no podrá dejar de experimentar unos efectos extraordinarios en su propia vida espiritual y en su apostolado.

Solemos preguntarnos: «¿Qué he hecho por Cristo? ¿Qué debo hacer por Cristo?...» (EE. 53). Y raras veces comprendemos que lo mejor que podemos hacer por él es creer en el amor que nos tiene. ¿No os ha ocurrido nunca el que alguien a quien queréis mucho os diga: «No puedo creer que me quieras realmente»? Si os ha ocurrido, entonces sabréis que lo que más deseamos de aquellos a quienes amamos, mucho más que cualquier servicio o cualquier cosa que puedan ofrecernos, es que crean en nuestro amor, que nos correspondan amándonos y que valoren el amor que nosotros les ofrecemos. A mi modo de ver, en esto consiste la devoción al Sagrado Corazón, de la que tanta necesidad sigue teniendo el mundo.

Experimentar a Cristo como una exigencia

He aquí el último peligro al que quiero referirme en relación con la meditación sobre el arrepentimiento y el pecado: la frecuencia con que experimentamos a Cristo como una exigencia, más que como un don. Y la frecuencia, también, con que la llamada al arrepentimiento refuerza esa sensación de que Cristo es una exigencia. El problema de un Dios exigente que siempre está pidiéndonos más y más... Un Dios insaciable, siempre insatisfecho, hagamos lo que hagamos.

Un ejemplo sumamente gráfico, a mi modo de ver, es una oración que tuve ocasión de escuchar y que decía, más o menos, así: «Señor, quisiera recibir tu Espíritu Santo, pero me da miedo pedírtelo, porque me asusta lo que él pueda exigirme. ¡Ayúdame, Señor, a superar mis temores!» Aquella oración me escandalizó no poco. Y lo trágico es que refleja el talante de otras muchas oraciones: el miedo a acercarse demasiado a Dios, el miedo a lo que Él pueda exigirnos. Resulta que el Espíritu Santo es el don que el Padre nos hace... ¡y nosotros tenemos miedo a ese don! ¡Tenemos miedo a lo que ese don puede acarrear!

Imaginemos a un padre que llega a su casa cargado de juguetes para sus hijos. Entra en casa ilusionado y ansioso, desenvuelve los juguetes y se los ofrece a los niños... y éstos se echan atrás, temerosos de aceptar los juguetes. Piensan que aquello es una trampa, porque creen conocer a su padre y temen que éste va a plantearles luego mayores exigencias; en suma, que van a tener que pagar un precio por aquellos juguetes. Por tanto, mejor será no aceptarlos. ¿No es justamente así como tratamos nosotros al Padre celestial? Apenas nos atrevemos a creer que lo que Él nos ofrece no vaya a tener consecuencias desagradables, que lo único que Él quiere es nuestra felicidad y nuestra paz.

Claro que tal vez no tengamos nosotros toda la culpa. Nos han enseñado a creer que Dios es un Dios exigente, más que un Padre amoroso que nos ama incondicionalmente. El mejor modo de corregir esta deformada idea consiste en dejar de intentar responder a las exigencias, reales o imaginarias, que pensamos que Dios nos plantea. Lo decisivo no son las exigencias de la persona amada, sino las exigencias del amor que uno tiene en su corazón. Si ignoras el amor que tienes en tu corazón y te esfuerzas por dar más de lo que tienes, acabarás sintiéndote culpable o, en el peor de los casos, lleno de resentimiento. Y ello, lejos de hacer crecer tu amor, hará que disminuya.

Creo que un ejemplo nos ayudará a entenderlo mejor. Imaginemos a un joven, Juan, apasionadamente enamorado de una joven, María, y que, en su desmedido amor, prescinde un día del almuerzo y con ese dinero compra flores para regalárselas a María por la noche. El amor hace cosas como ésta. Imaginemos ahora que Pedro viene a pedirnos consejo, porque le resulta difícil sentir amor hacia su mujer, Lola, y le decimos: «¿Por qué no imitas a Juan? Prescinde de tu almuerzo y, con el dinero que ahorres, compra flores para Lola». En lugar de recobrar el amor hacia Lola, lo más probable es que acumule resentimiento hacia ella. Imitar servilmente la conducta de un enamorado sin tener la disposición interna de éste no es una buena fórmula para llegar a sentirse enamorado. No es difícil constatar, pues, el peligro que entraña el hecho de decir a nuestros novicios que imiten la conducta de los santos cuando aún no tienen en su corazón el amor a Dios que inspiró dicha conducta. A veces les instamos a ello con la sana esperanza de que el practicar esa conducta habrá de producir automáticamente el amor. Pero no hay indicios de que vaya a ser así, sino todo lo contrario. Lo más probable es que acaben desanimándose y desistiendo totalmente de lograrlo.

Dios nunca te exige más de lo que el amor que hacia Él sientes en tu corazón te exige. Si pretendes realizar las grandes gestas que los santos realizaron por Él, pídele que infunda en tu corazón el amor que por Él sintieron los santos. A medida que tu amor por Él vaya creciendo, irá creciendo también tu capacidad de entregarte a Él gozosamente. Dios ama a los que se dan con gozo. La coacción y la fuerza no duran mucho. Recuerdo que un sacerdote me decía: «Una mañana, en la oración, me di cuenta, como jamás lo había hecho, de que Dios me amaba incondicionalmente. Pienso que aquel día avancé más que todo cuanto había avanzado en veinte años de responder a las exigencias de Dios, o a lo que yo creía que eran las exigencias de Dios con respecto a mí». ¡Cuánta razón tenía...! Pidamos, pues, a Jesús que nos conceda experimentar ese amor que nos tiene, y nuestra generosidad para hacer cosas grandes por él vendrá por añadidura.

12
El aspecto social del pecado

En esta breve charla deseo hablaros de un aspecto del pecado que «motiva» mucho a la mentalidad moderna. Antaño, los santos se sentían profundamente movidos a la contrición al contemplar a Cristo en la Cruz y al pensar que había sido el pecado, el pecado de ellos, el que le había crucificado. Hoy día, en cambio, pienso que a la gente le impresiona más la crucifixión de Cristo que hoy sigue perpetuándose como consecuencia del pecado.

¿Soy yo responsable del sufrimiento de mi hermano?

Estamos persuadidos de que el sufrimiento entró en este mundo como consecuencia del pecado y de que, cuanto más pecado haya, más sufrimiento tendrá que haber. Jesús está siendo crucificado hoy de nuevo en la persona de sus hermanos: las víctimas de la injusticia, los enfermos, los que sufren en su cuerpo o en su espíritu... Del mismo modo que puedo ponerme ante Cristo crucificado y decir: «mi pecado tiene la culpa», así también puedo decir lo mismo ante cualquier hombre que padece. Ésta es la razón por la que confesamos nuestro pecado no sólo a Dios, sino también a nuestros hermanos. Porque con nuestro pecado no es sólo a Dios a quien hacemos daño, sino a todo el cuerpo místico. El P. Teilhard de Chardin lo expresa perfectamente cuando dice:

«golpea el gong en un sólo lugar, y todo el gong resonará». Para lo bueno y para lo malo, todos formamos parte de un mismo cuerpo; y si uno de los miembros está enfermo, todos los demás también sufren.

En cierta ocasión le contó alguien al santo hindú Swami Ramdas que un agnóstico occidental había dicho: «Yo no creo en Dios. Si lo hiciera, tendría que buscarlo y estrangularlo por todo el sufrimiento que ha originado en el mundo». Y Ramdas respondió: «Si yo me encontrara con ese hombre, tomaría sus manos, se las pondría alrededor de su propio cuello y le diría: ''¡Adelante! Aquí tienes a alguien que está causando sufrimiento. ¡Estrangúlalo!''». Hoy es muy frecuente culpar a otros de los males del mundo y de la Iglesia. Pero, en realidad, no es a los «progresistas» ni a los «conservadores» a quienes hay que culpar de la confusión y el alboroto que pueda haber en la Iglesia, como tampoco son los capitalistas o los comunistas los culpables del sufrimiento y la injusticia que hay en el mundo. La culpa es del pecado. De *mi* pecado. Si erradicáramos el pecado, erradicaríamos también el sufrimiento.

Si aceptamos esta verdad, comprenderemos cuán importante es esforzarse por erradicar el pecado del mundo. Nos hemos lanzado con todo entusiasmo a la tarea de erradicar el hambre, el desempleo, la insalubridad, el analfabetismo... ¡Fantástico! Ésa es una labor de compasión y es lo que nuestro amor cristiano exige de nosotros. Si somos insensibles al sufrimiento de nuestro hermano que sufre y se encuentra desvalido, toda nuestra predicación carecerá de sentido, porque no tenemos el amor de Cristo en nuestros corazones.

Pero no deberíamos olvidar que, al hacer esa encomiable labor, lo que estamos atacando son los síntomas, pero no las causas o las raíces, que es lo que también tenemos que atacar. Un analgésico podrá eliminar el dolor producido por un cáncer, pero no suprimirá el cáncer. Pues bien, tampoco la erradicación del hambre, la insalubridad o el analfabetismo acabará con el egoísmo que es la raíz de todos esos males, como lo demuestra el caso de algunas naciones de Occidente, donde han sido erradicados algunos de estos síntomas: ¿acaso son más felices, más desinteresados, más amantes de la humanidad? ¿Hay realmente en esos países menos sufrimiento que en los países subdesarrollados? Muy poco habremos conseguido si no nos hemos decidido a afrontar abiertamente el problema del egoísmo y del pecado.

Desde aquí nos resultará más fácil comprender por qué parecía Jesús prestar tan poca atención a los problemas sociales y políticos de su tiempo y concedía tanta importancia al pecado y al perdón del mismo. Un seminarista muy interesado en los problemas sociales y que trabajaba con los refugiados de Bangla Desh regresó de aquel lugar de auténtica miseria y privación y me dijo: «He constatado que el mayor mal que hay en el mundo no es el hecho de que un hombre muera de hambre. Por supuesto que ésa es una muerte horrible, pero supongo que la gente muere de muertes igualmente horribles en las sociedades opulentas, donde hay tanto cáncer y donde la medicina moderna es incapaz de acabar con el dolor. No, lo verdaderamente trágico no es el dolor de morir de hambre, sino la insensibilidad y la indiferencia de quienes, pudiendo ayudar a sus hermanos que mueren de hambre, no lo hacen». ¡El horror del egoísmo y del pecado!

Por lo general, el apostolado social se concibe hoy como el trabajo de quienes luchan directamente por el bienestar de los pobres y por la erradicación de la injusticia social, pero rara vez pensamos que pueda ser apostolado social la labor de un sacerdote en el confesionario o en la predicación de la Palabra. Estamos perdiendo de vista la importancia de reconciliar a los pecadores con Dios. ¿No formará esto parte de la actual crisis de identidad de tantos sacerdotes a la que me refería al comienzo de estos Ejercicios? Esa crisis es, muchas veces, una crisis de superficialidad, y proviene de la creencia en que la principal tarea del sacerdote en el mundo moderno es el compromiso. Y por «compromiso» me refiero al compromiso revolucionario, político, social, etc. Según esos criterios, Jesús habría sido un verdadero «descomprometido», porque no da la impresión de haber sido un hombre especialmente interesado por los problemas sociales y políticos de su tiempo, sino todo lo contrario: se niega insistente y tenazmente a dejarse involucrar en tales problemas.

El sacerdote de hoy, al igual que Jesús, debe interesarse, ante todo, por predicar la Buena Noticia. Que trabaje cuanto quiera en la educación, en el terreno social o donde sea; pero que no deje de proclamar a los hombres la conversión, invitándoles continuamente a reconocer que son pecadores y a aceptar el amor gratuito de Dios. Me vienen ahora a la memoria unas palabras de John Wesley, el fundador de la Iglesia Metodista: «Dadme cien hombres que no deseen más que a Dios ni teman otra cosa que no sea el pecado, y haré que se estremezcan las puertas del infierno y se establezca el Reino de Dios en la tierra». Estas palabras podrían prestarse a un ejercicio de oración sumamente provechoso. Puestos en presencia de Dios, haced una lista de las cosas que deseáis. ¿Va Dios en primer lugar? Y de todas las cosas que teméis y odiáis, ¿es el pecado la primera? Si es así, ciertamente poseéis en abundancia la gracia del arrepentimiento.

La confesión

He querido reservar unos cuantos minutos al final de esta charla para decir algunas cosas acerca de lo que tradicionalmente hemos llamado «el sacramento de la confesión» y que yo prefiero llamar, como la mayoría de los autores modernos, «sacramento del arrepentimiento». Son muchos los ejercitantes que, en el pasado, me han confesado que el recibir este sacramento ha sido de gran ayuda, y hasta algo decisivo, para sus Ejercicios. Ojalá también lo sea para vosotros.

Pero no pocos sacerdotes me han reconocido que casi nunca reciben este sacramento, porque no supone mejora alguna en sus vidas: «¿Qué sentido tiene confesar una y otra vez los mismos e inveterados pecados y defectos? No parece producirse ninguna mejora, y me siento como un hipócrita. Si mi arrepentimiento fuese sincero, esos pecados desaparecerían, ¿no es cierto?...»

Lo que se supone en estos casos es que el objetivo fundamental de este sacramento no es otro que el de suprimir los pecados y los defectos, lo cual es una suposición con la que no estoy de acuerdo. El objetivo fundamental de este sacramento es la reconciliación con Dios, una más profunda unión con Cristo, una nueva efusión del Espíritu Santo. Por eso la disposición con que nos acercamos a este sacramento es más importante que esa lista de pecados que confesamos; y esas gracias que acabo de mencionar son más importantes que la eliminación de los defectos. Tal vez Cristo quiera que tengamos esos defectos durante toda la vida, para que Su poder resplandezca en medio de nuestra debilidad. Tales defectos no nos impedirán crecer en santidad ni obtener los tesoros espirituales que este sacramento ofrece.

Si queremos sacar provecho de este sacramento, hemos de acercarnos a él con la debida actitud. Tal vez hasta ahora nos hemos preocupado, quizá excesivamente, por escudriñar nuestras conciencias y elaborar una lista lo más exacta posible de nuestros pecados. Pues bien, esto es de una importancia muy secundaria en comparación con las distintas disposiciones o actitudes que a continuación voy a enumerar.

Lo primero que debemos hacer es perdonar a los demás todo el mal que hayan podido hacernos. Jesús lo subraya enérgicamente en la parábola del «siervo sin entrañas» (Mt 18,23-35), así como en el Sermón del Monte, cuando dice: «Si, al presentar tu ofrenda en el altar, te acuerdas de que un hermano tuyo tiene algo que reprocharte, deja tu ofrenda allí, delante del altar, y ve primero a reconciliarte con tu hermano; luego vuelves y presentas tu ofrenda... Vosotros, pues, orad así: "Padre nuestro que estás en los cielos... perdona nuestras ofensas, como también nosotros perdonamos a los que nos ofenden"... Que, si vosotros perdonáis a los hombres sus ofensas, también os perdonará a vosotros vuestro Padre celestial; pero, si no perdonáis a los hombres, tampoco vuestro Padre perdonará vuestras ofensas» (Mt 5,23-24; 6,9.12.14-15). Por último, también dice Jesús: «Y cuando os pongáis de pie para orar, perdonad, si tenéis algo contra alguno, para que también vuestro Padre, que está en los cielos, os perdone vuestras ofensas» (Mc 11,25).

En una charla anterior ya me referí a este asunto de perdonar las ofensas al hermano, y sugería una serie de ejercicios de oración al respecto. Tal vez queráis practicar alguno de ellos como preparación para el sacramento de la reconciliación.

Otra de las disposiciones con que debemos acercarnos a este sacramento es el reconocimiento de nuestra pecaminosidad. Éste era precisamente el reproche que Jesús hacía a los fariseos: que no veían su propio pecado. La parábola del fariseo y el publicano (Lc 18,9-14) es un ejemplo clarísimo en este sentido. Y lo mismo puede decirse de las palabras que dirige Jesús a los fariseos en Mt 9,12-13: «No necesitan médico los sanos, sino los que están mal... No he venido a llamar a justos, sino a pecadores». Por otra parte, recordad cómo insiste Pablo en esto mismo en Rom 2-3. Y otro tanto podemos decir de Juan: «Si decimos: ''No tenemos pecado'', nos engañamos y la verdad no está en nosotros. Si reconocemos nuestros pecados, fiel y justo es Él para perdonárnoslos y purificarnos de toda injusticia. Si decimos: ''No hemos pecado'', le hacemos mentiroso y su Palabra no está en nosotros» (1 Jn 1,8-10). Y en el Apocalipsis, el mismo Juan pone estas palabras en boca de Jesús: «Dices: ''Soy rico; me he enriquecido; nada me falta''. Y no te das cuenta de que eres un desgraciado, digno de compasión, pobre, ciego y desnudo. Te aconsejo que me compres oro acrisolado al fuego para que te enriquezcas, vestidos blancos para que te cubras y no quede al descubierto la vergüenza de tu desnudez, y colirio para que te des en los ojos y recobres la vista... Sé, pues, ferviente y arrepiéntete» (Ap 3,17-19).

Una tercera disposición consistiría en sentir un gran amor por Jesús y un profundo deseo de verle. Ya me referí a ello cuando hablaba del significado del arrepentimiento. Recordad la exigencia que formula Jesús a la iglesia de Éfeso de que retorne al amor primi genio (Ap 2,1-5); o el vehemente anhelo de Zaqueo de ver a Jesús (Lc 19,1-10); o las lágrimas de amor de la mujer de Magdala (Lc 7,36-50); o la confesión de amor a Jesús por parte de Pedro (Jn 21,15-19).

Y una última disposición: creer en el enorme deseo que tiene Jesús de perdonarnos, como de modo tan inequívoco lo expresa en sus parábolas de la oveja perdida, de la dracma perdida y del padre del hijo pródigo (Lc 15) y en aquellas otras palabras del Apocalipsis: «Mira que estoy a la puerta y llamo; si alguno oye mi voz y me abre la puerta, entraré en su casa y cenaré con él, y él conmigo» (Ap 3,20). ¡«Alguno»! Por muy pecador que sea. Todo lo que tienes que hacer es oir su voz y abrirle la puerta.

Una vez que hemos hablado de todas estas disposiciones, me vais a permitir que os sugiera una forma de recibir este sacramento durante los Ejercicios que a otros les ha servido de ayuda y que vosotros podéis intentar. En cuanto a la postura, da lo mismo estar sentado que de rodillas; que cada cual escoja la que crea que puede ayudarle a sentirse más a gusto y a expresarse más distendidamente.

Puedes comenzar agradeciendo a Dios alguna gracia o favor que te haya concedido. Hacer esto ante un sacerdote significa testimoniar ante un representante de la Iglesia tu agradecimiento a Dios por haber sido tan bondadoso contigo. Por otra parte, el agradecimiento te dispondrá a comprender mejor el amor que Dios te tiene y a experimentar más profundamente el arrepentimiento.

Una vez que hayas mencionado tus pecados, te sugiero que manifiestes algún aspecto de tu vida en el que tengas necesidad de curación. Menciona cualquier enfermedad (física, emocional o espiritual) de la que quieras ser curado por el Señor, para quien el perdón de los pecados guardaba estrecha relación con la curación; y sacramento de curación es también el sacramento de la reconciliación. La razón por la que no experimentamos esto con más frecuencia es porque no esperamos que vaya a producirse. Y, junto con la curación, constatarás frecuentemente un nuevo aumento en ti de fuerza espiritual, como consecuencia de la recepción del sacramento, porque con el perdón delos pecados se nos concede también una nueva efusión del Espíritu Santo.

Luego, si el sacerdote está de acuerdo, ambos podéis dedicar unos momentos a la oración, pidiendo, en silencio o de viva voz, que, en virtud de la absolución que vas a recibir, se digne el Señor curarte y concederte nuevas fuerzas para servirle.

Confío en que, cuando recibáis el sacramento de la reconciliación durante estos Ejercicios, el Señor os revele el poder de que ha investido a dicho sacramento y que con tanta generosidad otorga a quienes lo reciben con fe y con devoción.

13
El método benedictino
de oración

En las anteriores charlas he solido citar pasajes de la Escritura que pudieran ayudar a la meditación y a la reflexión. Ahora quisiera indicaros un método para el empleo de la Escritura en la oración, un modo de convertir en oración los pasajes bíblicos. Es el método de oración que ha dado en llamarse «Método Benedictino», porque fue popularizado por el propio san Benito, aunque ya venía usándose en la Iglesia desde hacía siglos. Es probable que este método os resulte sumamente útil, sobre todo si tenéis tendencia a distraeros fácilmente en la oración y no sabéis qué hacer cuando la distracción se presenta.

Este método de oración consta de tres fases, denominadas, respectivamente, «Lectio», «Meditatio» y «Oratio». La «Lectio» es la *lectio divina,* la lectura. Comenzad leyendo un pasaje de la Escritura o de algún libro de espiritualidad. Os aconsejo, eso sí, que no empleéis para la oración un libro que no hayáis leído previamente, porque existe el peligro de que os dejéis llevar por la curiosidad (que a veces puede ser una sutil forma de pereza) y empleéis la mayor parte del tiempo en leer, en lugar de orar. Supongamos que empezáis leyendo un pasaje de la Escritura o de un libro como «La Imitación de Cristo». No dejéis de leer mientras no lleguéis a una sentencia o frase que os llame especialmente la atención. Supongamos que estáis leyendo el capítulo 7 del evangelio de Juan: «El último día de la fiesta, el más solemne, puesto en pie, Jesús gritó: ¡"Si alguno tiene sed, venga a mí, y beba el que crea en mí. Como dice la Escritura, de su seno correrán ríos de agua viva"!» (Jn 7,37-38). Supongamos que estas palabras de Jesús os «impactan». Entonces es el momento de dejar de leer, de poner fin a la «Lectio» y pasar a la «Meditatio», la meditación.

La meditación ha de hacerse con los labios, no con la mente. No se trata de reflexionar ni de ejercitar el pensamiento discursivo, sino de repetir esas palabras. Cuando, en el salmo 119 [118], dice el salmista que no deja de meditar en la ley de Dios y que ésta es para sus labios más dulce que la miel, no se refiere únicamente a la reflexión sobre la ley, sino también a la repetición incesante de las palabras de la ley. Esto es, por consiguiente, lo que debéis hacer con esas palabras que habéis escogido. Recitadlas internamente y saboreadlas mientras las recitáis, sin deteneros a reflexionar profundamente sobre ellas. Sería, aproximadamente, algo así: «Si alguno tiene sed, venga a mí… Si alguno tiene sed, venga a mí… Si alguno tiene sed, venga a mí…» A medida que se va repitiendo la frase, se tenderá a acentuar unas palabras u otras, y la frase irá haciéndose más corta: «Si alguno… si alguno… si alguno…», o bien: «venga a mí… venga a mí… venga a mí…» No dejéis de repetir esas palabras mientras encontréis gusto en ellas.

A medida que sigáis repitiendo las palabras, llegará un momento en que querréis deteneros y explayaros silenciosamente en ellas o decir algo al Señor. En esto consiste la «Oratio», la oración propiamente dicha. Podéis decir algo así como: «Señor, ¿ese ofrecimiento se lo haces a cualquiera, sin importarte que sea justo o pecador? Si es así, quiero ir a ti… con toda confianza». O bien: «¡Qué fantástico, Señor, que seas tú a quien hay que acudir cuando nuestro corazón está sediento…! ¡Ojalá lo hubiera hecho más frecuentemente! Habría sido más feliz… Pero nunca es tarde…» O bien: «Esto no tiene para mí ningún sentido, Señor. ¿Cómo vas tú a apagar nuestra sed? ¿Cuántas veces no habré acudido a ti en el pasado y, a pesar de ello, sigo teniendo sed? ¿Qué quieres decir con estas palabras? Dímelo…» También es posible que, como dije antes, no deseéis hablarle al Señor, sino simplemente seguir en silencio en su presencia, dejando que las palabras calen en vosotros y limitándoos a permanecer tierna y amorosamente en presencia del Señor, que pronunció y sigue pronunciando esas palabras.

Ésta es una forma ideal de recitar los salmos, que contienen centenares de frases en las que podemos «descansar» y de las que podemos alimentarnos. Os aconsejo que lo hagáis cuando recéis el breviario, porque muchos sacerdotes parecen tener más interés en acabar cuanto antes de rezar las Horas que en orar de veras. ¿Por qué no recurrir a este método? ¿Por qué obligarse a rezar todo el breviario en un tiempo determinado: quince, veinte, treinta minutos… o lo que sea? ¿Por qué no detenerse tranquilamente en una frase o en un pasaje que le ponga a uno en clima de oración y, transcurrido el tiempo que cada uno se haya fijado para el rezo del breviario, dejarlo en paz? Tal vez no hayas «acabado» de rezar las Horas, pero habrás *orado*. Tal vez no hayas cumplido la letra de la ley, pero habrás obedecido a su espíritu. Esto es lo que la Iglesia quiere que haga el sacerdote: orar de veras, no cumplir el expediente de leer un determinado número de páginas cada día.

Sin salirme del tema, quisiera decir algo sobre otra forma de oración atribuida a san Juan Clímaco, el gran maestro griego, de quien se afirma que inició a innumerables monjes en el arte de la oración con su sencillísimo método, consistente en tomar una plegaria (el Padrenuestro, por ejemplo) y recitarla con enorme atención, lentamente y con plena conciencia de lo que se dice y de a quién se dice. Supongamos que os ponéis a recitar el Padrenuestro y prestáis plena atención a cada una de las palabras que decís y al hecho de que es al Padre a quien os dirigís: «Padre nuestro que estás en el cielo, santificado sea tu nombre, venga a nosotros tu Reino…» Y supongamos que en este punto vuestra mente comienza a divagar. En el momento en que os deis cuenta de que estáis divagando, volved mentalmente a las palabras en que comenzó dicha divagación: «Venga a nosotros tu Reino... venga a nosotros tu Reino...» Insistid en ellas hasta que las digáis con absoluta atención, y luego proseguid: «...hágase tu voluntad en la tierra como en el cielo», etc. No importa el hecho de que sintáis o dejéis de sentir devoción mientras recitáis la plegaria. Lo verdaderamente importante es que lo hagáis con toda atención. La devoción vendrá por sí sola.

San Ignacio de Loyola recomienda otro método que combina la meditación con la oración vocal. Consiste en detenerse en cada una de las palabras, tomando tiempo para reflexionar sobre el significado de la misma. ¿Qué significa «Padre»? ¿Por qué usamos la palabra «nuestro»? Si se trata de la «Salve», ¿por qué llamamos «reina» a María? ¿De quién es reina? ¿En qué sentido lo es? ¿En qué sentido es santa? ¿Qué significa la santidad?... Y así sucesivamente: «vida, dulzura, esperanza nuestra...» Una vez que hayáis practicado esta forma de oración con una determinada plegaria, comprobaréis cómo toda esa plegaria cobra vida cuando la recitáis. Podéis emplear este método con aquellas plegarias que uséis más frecuentemente: el Padrenuestro, el Ave María, el Gloria, la bendición de la mesa, la acción de gracias después de las comidas, las oraciones de la Misa...

Todos ellos son modos sencillos de orar. Demasiado sencillos, quizá, para algunos de nosotros, pero verdaderamente eficaces para progresar en el arte de la oración. Ya os he contado cómo aprendí del P. Calveras que la oración vocal correctamente hecha podía ser la antesala del misticismo. Y esto es precisamente lo que enseñan santa Teresa y otros muchos santos que practicaron modos muy sencillos de oración. De hecho, puede afirmarse que se progresa en la oración cuando ésta pasa, del terreno de la mente, al del corazón; cuando se hace más sencilla y más afectiva. Santa Teresa, que siempre fue partidaria de orar con el corazón más que con la mente, dice que ella nunca pudo pensar mucho en la oración, porque se distraía inmediatamente, hasta el punto de que, durante años, no se atrevía a acudir a la oración sin llevar un libro en las manos al que poder recurrir, cuando fuera necesario, para combatir las distracciones. Y afirma, además, que esa propensión de su mente a divagar fue para ella una verdadera bendición, porque la obligaba a orar con el corazón. Prefería emplear su tiempo en amar a Dios más que en pensar en Él. Y a ello atribuye los grandes progresos que hizo en la oración.

He aquí lo que dice en sus *Moradas del Castillo Interior:* «Sólo quiero que estéis advertidas que para aprovechar mucho en este camino y subir a las moradas que deseamos, no está la cosa en pensar mucho, sino en amar mucho». Y en el *Camino de Perfección* afirma: «Que hay muchos que creen que todo el asunto está en pensar, y si no pueden pensar imaginan que están perdiendo el tiempo...»

En nuestra vida de oración, por desgracia, cultivamos nuestra mente con mucha más diligencia que nuestro corazón. Ésta es una de las principales razones por las que obtenemos tan poco provecho de la oración. Por supuesto que la mente es necesaria para orar: tenemos necesidad de ella para comprender la palabra de Dios, para escuchar lo que Dios tenga que decirnos... Pero el simple hecho de estar ocupados con alguna verdad o reflexión no servirá para alimentarnos y recobrar las fuerzas. Si queremos entrar en contacto con Dios, necesitamos el corazón. De hecho, lo necesitamos incluso para captar la sabiduría que encierran las verdades de Dios, que es algo que la mente por sí sola no puede ofrecernos. Pensemos, sí; pero no dediquemos la mayor parte de nuestra oración a pensar; de lo contrario, no será fácil que soseguemos nuestro ánimo, abramos nuestros corazones al amor de Dios, descansemos en su amorosa presencia, confiemos en Él, lo adoremos y nos unamos a Él. Para conseguir todo esto, espero que os resulte verdaderamente útil alguno de los sencillos métodos de oración que acabo de sugeriros.

14
El Reino de Cristo

Ayer sugeríamos para la oración y la meditación el tema del arrepentimiento. Hoy quisiera sugeriros otro tema, desarrollando una vez más una idea que aparece en la primera proclamación que realiza Jesús: «El Reino de Dios está cerca; arrepentíos y creed en el evangelio».

Después de arrepentirnos y volvernos hacia Dios, después de ese cambio de corazón y de mente, preguntamos con san Pablo: «Señor, ¿qué quieres que haga?» (Hch 9,5). Y la respuesta que recibimos de él es: «Cree en el evangelio. Sígueme. Sé mi discípulo... Porque el Reino de Dios está cerca». Así pues, hay un reino... ¡y un rey! De esto es de lo que quisiera hablar hoy.

Ya al comienzo mismo de los evangelios aparece este tema de la realeza de Cristo. El ángel dice a María: «Él será grande y será llamado ''Hijo del Altísimo'', y el Señor Dios le dará el trono de David, su padre; reinará sobre la casa de Jacob por los siglos y su reino no tendrá fin» (Lc 1,32-33). Se nos dice, pues, muy claramente que Jesús es rey y que habrá de reinar como tal.

Así que buscamos en los evangelios, tratando de hallar en alguna parte esa realeza de Cristo... y, durante muchas páginas, nuestra búsqueda es en vano. Allí descubrimos al predicador, al taumaturgo, al amigo de los pecadores..., pero del «rey» no hay la menor huella. De hecho, Jesús evita constantemente que le atribuyan semejante título cuando la gente quiere otorgárselo; parece como si quisiera ocultar el hecho de que él es el Mesías, a quien los judíos esperaban como a una especie de rey religioso. Pero, al fin, vemos a Jesús en el pretorio y le oímos decir las siguientes palabras a Pilato: «Sí, soy rey... Pero mi reino no es de este mundo» (cf. Jn 18,36-37). Al fin le oímos afirmar abiertamente que es rey. Justamente cuando ha sido arrestado y se encuentra inerme, decide proclamar abiertamente su realeza. Más tarde, en la cruz, volverá a ser aclamado rey: «Jesús Nazareno, el Rey de los Judíos», rezará la inscripción que fijen sobre el madero (Jn 19,19). Y, entre ambos episodios, se verá escarnecido y ridiculizado por los soldados, que, arrodillándose ante él, le dirán en son de burla: «¡Salve, rey de los judíos!» (Jn 19,3). «¡Mi reino no es de este mundo!». Es la imagen perfecta de la realeza de Cristo: ¡sentado en un falso trono, inerme y humillado, con una falsa corona ciñéndole las sienes, un falso cetro en sus manos, un falso manto de púrpura sobre los hombros... y unos falsos súbditos arrodillándose ante él y haciéndole objeto de burla y de escarnio!

Os sugiero que, en vuestra oración de hoy, meditéis detenidamente sobre esta escena, que os revelará mucho acerca de la naturaleza de este rey y de su reino. Y, mientras lo hacéis, tratad de escuchar aquellas inolvidables palabras suyas a los de Emaús: «¿No era necesario que el Mesías padeciera todo eso antes de entrar en su gloria?» (Lc 24,25). O tomad el pasaje de Mt 16,20ss, que tan elocuentemente refiere el secreto de la realeza de Cristo. Poco antes, Pedro ha hecho su profesión de fe en la condición mesiánica de Cristo. Y, una vez que Jesús comprende que ha sido el Padre quien ha revelado a Pedro que él es el Mesías, comienza a instruir a sus discípulos acerca del significado de su mesiazgo y su realeza, para que no lo interpreten en un sentido mundano: «Desde entonces comenzó Jesús a manifestar a sus discípulos que él debía ir a Jerusalén y sufrir mucho de parte de los ancianos, los sumos sacerdotes y los escribas, y ser condenado a muerte y resucitar al tercer día. Tomándolo aparte, Pedro se puso a reprenderle diciendo: "¡Lejos de ti, Señor! ¡De ningún modo te sucederá eso!" Pero él, volviéndose, dijo a Pedro: "¡Quítate de mi vista, Satanás! ¡Tropiezo eres para mí, porque tus pensamientos no son los de Dios, sino los de los hombres!"» (16,21-23). Lo que le ocurre a Pedro, sencillamente, es que es incapaz de encontrarle sentido alguno a semejante realeza. Y la violenta reacción de Jesús parece indicar que él mismo se sentía tentado por Satanás; probablemente, también a él le resultaba muy difícil encontrarle sentido a aquella realeza, pensar como piensa Dios y no como piensan los hombres. A fin de cuentas, también él era un hombre y, como tal, tuvo que rebelarse ante la idea de que la salvación que él iba a ofrecer al mundo tenía que ofrecerla en un oscuro y subdesarrollado país donde ni siquiera era reconocido por los suyos, y que tenía que morir en una cruz de la que no podría bajar para demostrar que era el Hijo de Dios; en otras palabras, que habría de ser un completo fracasado, un auténtico hazmerreír para los hombres realmente importantes. ¿No había ido por ahí la tentación que el diablo le había propuesto en el desierto? ¿No le había sugerido que salvara al mundo de una manera bastante más espectacular y llamativa, de una manera que tuviera más sentido para quienes pensaban como los hombres y no como Dios? Entonces había superado con éxito la tentación, y ahora vuelve a hacerlo. Y lo que dice a continuación no vale únicamente para él mismo, sino para cualquiera que pretenda seguirle: «Entonces dijo Jesús a sus discípulos: "Si alguno quiere venir en pos de mí, niéguese a sí mismo, tome su cruz y sígame. Porque quien quiera salvar su vida, la perderá; pero quien pierda su vida por mí, la encontrará"» (Mt 16,24-25). ¡A nadie puede quedarle duda alguna acerca de lo que significa seguir al rey! Y en el evangelio de Juan dice Jesús: «Si el mundo os odia, sabed que a mí me ha odiado antes que a vosotros. Si fuerais del mundo, el mundo amaría lo suyo; pero, como no sois del mundo, porque yo al elegiros os he sacado del mundo, por eso os odia el mundo. Acordaos de las palabras que os he dicho: "El siervo no es más que su señor". Si a mí me han perseguido, también os perseguirán a vosotros; si han guardado mi palabra, también guardarán la vuestra. Pero todo esto lo harán por causa de mi nombre, porque no conocen al que me ha enviado» (Jn 15,18-21).

Nosotros le preguntamos al Señor por qué: «¿Por qué, Señor, debemos tú y yo salvar al mundo de ese modo? ¿Por qué es preciso que nos escupan y nos insulten, que suframos y muramos antes de poder resucitar contigo?» Jesús siempre dijo a sus discípulos que era preciso padecer y morir, pero jamás dijo una sola palabra para explicar el porqué. De modo que mirémosle en silencio, dejemos a un lado la lógica de la razón y asumamos la lógica de la fe, la lógica del corazón. Aceptémosle tal como es y digámosle con Pedro: «¡Señor, estoy dispuesto a ir contigo a la muerte!» (cf. Mt 26,35). Pero, dado que somos tan débiles como Pedro, pidámosle tres gracias:

1. *La gracia de no ser sordos a su llamada*

Jesús sigue llamándonos hoy a seguirle en el sufrimiento y en la muerte. Pero resulta muy difícil escuchar esta llamada suya, porque somos maestros consumados en el arte de la escucha selectiva, y escuchamos únicamente lo que nos conviene. ¿A qué clase de sufrimiento y de muerte me llama hoy el Señor? Dice Bonhoeffer en algún lugar que, cuando Cristo llama a alguien, le está conminando a ir a él y a morir. No debemos, pues, engañarnos cuando oímos a Cristo que nos dice: «Ven». Lo que realmente quiere decirnos es: «Ven y muere».

2. *La gracia de comprender*

La gracia de ser capaces de pensar como Dios piensa, no como piensan los hombres. Lo cual es verdaderamente pura gracia. Ningún esfuerzo intelectual de nuestra parte nos hará capaces de pensar como Dios piensa. Hay una sabiduría de Dios que es locura para los hombres. Os aconsejo que leáis los tres primeros capítulos de la Primera Carta de Pablo a los Corintios, llenos de doctrina a este respecto: «Pues la predicación de la cruz es una necedad para los que se pierden; mas para los que se salvan, para nosotros, es fuerza de Dios. Porque dice la Escritura: "Destruiré la sabiduría de los sabios e inutilizaré la inteligencia de los inteligentes..." ¿Acaso no entonteció Dios la sabiduría del mundo? De hecho, como el mundo mediante su propia sabiduría no conoció a Dios en su divina sabiduría, quiso Dios salvar a los creyentes mediante la necedad de la predicación. Y así, mientras los judíos piden señales y los griegos buscan sabiduría, nosotros predicamos a un Cristo crucificado: escándalo para los judíos, necedad para los gentiles; mas para los llamados, lo mismo judíos que griegos, fuerza de Dios y sabiduría de Dios. Porque la necedad divina es más sabia que la sabiduría de los hombres, y la debilidad divina más fuerte que la fuerza de los hombres» (1,18-25).

Ni siquiera los Apóstoles, que vivieron tanto tiempo con Cristo, comprendieron plenamente esta enseñanza acerca de su reino. Incluso al final, justamente antes de la Ascensión, siguen haciéndole preguntas verdaderamente estúpidas que muestran bien a las claras que no han conseguido comprender lo que tan machaconamente él les ha repetido. «Señor, ¿es ahora cuando vas a restablecer el reino de Israel?», le preguntan (Hch 1,6). Para comprenderlo, necesitaban todavía recibir el Espíritu Santo que habría de venir sobre ellos en Pentecostés. También nosotros necesitamos al Espíritu si queremos comprender la enseñanza de Cristo. Nadie más (ningún «ejercitador», ningún libro) puede hacérnoslo comprender; ni siquiera el propio Cristo, que fracasó estrepitosamente en su intento de hacérselo comprender a sus discípulos. Por consiguiente, si queremos comprenderlo, debemos pedir el don del Espíritu. «Porque... el Espíritu todo lo sondea, hasta las profundidades de Dios... Y nosotros no hemos recibido el espíritu del mundo, sino el Espíritu de Dios, para conocer las gracias que Dios nos ha otorgado... El hombre no espiritual no capta las cosas del Espíritu de Dios, que son necedad para él, y no puede entenderlas, porque sólo el Espíritu puede juzgarlas. En cambio, el hombre espiritual lo juzga todo, y a él nadie puede juzgarle. Porque, como dice la Escritura, ¿quién conoció el pensamiento del Señor para instruirle? Pero nosotros poseemos el pensamiento de Cristo» (1 Cor 2,10-16). Éste es el Espíritu que debemos pedir si también nosotros queremos tener el pensamiento de Cristo y pensar los pensamientos de Dios.

Una forma de comprender esta enseñanza de Cristo consiste en hacerse niños. Cuando nos hacemos niños ante Dios, Él se inclina hacia nosotros, nos hace sus confidentes y nos comunica una sabiduría que nosotros solos jamás podríamos adquirir. «Yo te bendigo, Padre, Señor del cielo y de la tierra, porque has ocultado estas cosas a los sabios y prudentes y se las has revelado a los pequeños. Sí, Padre, pues tal ha sido tu beneplácito» (Mt 11,25-26).

3. *La gracia de seguirle durante toda la vida*

Lo cual conllevará mucho sufrimiento, porque llevar la cruz con Cristo supone no sólo realizar un gran esfuerzo, sino además compartir su misma suerte. Es muy significativo que, cuando Pablo se convierte, pregunte: «Señor, qué he de hacer?» (Hch 22,10), y que la respuesta del Señor esté en las palabras que dirige a Ananías: «Este hombre es el instrumento que yo he elegido para llevar mi nombre ante los gentiles y los reyes, y también ante los hijos de Israel. Yo le mostraré todo lo que tendrá que padecer por mi nombre» (Hch 9,15-16). Al mundo no se le redime haciendo cosas, sino a través de la cruz. ¡Te adoramos, Cristo, y te bendecimos, pues por tu santa Cruz redimiste al mundo! Por eso, más tarde, Pablo podrá decir a los filipenses que todo cuanto quiere es «conocer a Cristo, el poder de su resurrección y la comunión en sus padecimientos hasta hacerme semejante a él en su muerte» (Flp 3,10).

En una charla posterior trataré de haceros ver cómo el seguir a Cristo con todo el radicalismo de los evangelios significará padecer durísimas pruebas, experimentar la más absoluta pobreza y ser tenido por loco. Esto es inevitable desde el momento mismo en que uno empieza a pensar y a juzgar de la misma manera en que Dios lo hace, y a hablar y a actuar en consecuencia. Como digo, ya hablaremos de ello. De momento, quisiera únicamente subrayar un punto en el que también nos extenderemos más adelante, a saber, que el seguimiento de Cristo, el llevar su cruz, no conduce a la tristeza, sino a la alegría y a la dicha. Ésta es la Buena Noticia que Jesús nos trae, el secreto de la felicidad, por el que el hombre ha suspirado durante siglos. No es el nuestro un evangelio lóbrego y tenebroso. Sólo las personas superficiales piensan que la felicidad no es compatible con el sufrimiento. Sí lo es, aun cuando el sufrimiento sea desmedido, con tal de que se asuma por amor. Pablo es un estupendo ejemplo al respecto: sufrió tanto por Cristo que llega incluso a decir que lleva en su cuerpo las señales de la pasión de Cristo, y habla de completar lo que falta a los sufrimientos de Cristo; y, sin embargo, ¡cuánto gozo se refleja en él! Pablo es mensajero de una paz y una alegría desbordantes, como puede verse en todas sus Cartas.

Si tomamos la decisión de seguir totalmente a Cristo, hemos de saber que optamos por una vida realmente ardua; pero es importante que comprendamos que también es una vida feliz. Si somos capaces de comprender esto, le seguiremos con mayor decisión y entusiasmo y nos será más fácil perseverar, confortados por su amorosa presencia y la fuerza de su Espíritu Santo.

15
Conocer, amar
y seguir a Cristo

Ya hemos hablado de la realeza de Cristo y de la llamada que nos hace a seguirle llevando su cruz. Os invito a que en estos próximos días hagáis de ello (ser discípulos, seguir a Cristo, llevar su cruz) el tema de vuestra oración. Pero seguir a Cristo no es posible si antes no le hemos conocido y amado. Y ésta es la gracia que yo quisiera que pidierais a Dios en estos días: la gracia de conocer a Cristo, amarle y seguirle fielmente.

En los minutos que siguen, vamos a hablar sobre ese conocer, amar y seguir a Cristo. Luego quisiera proponeros un método para orar sobre la vida de Cristo que tal vez pueda ayudaros a obtener dicha gracia.

Conocer a Cristo

Conocer a Cristo significa encontrarse con él. Así es como conocemos a las personas. Hay diferencia entre saber acerca de una persona y conocerla. Esto último sólo es posible cuando nos hemos encontrado personalmente con ella. Así pues, pidamos la gracia de conocer a Cristo personalmente.

Ésta es la clase de conocimiento que tuvieron de Jesús aquellos samaritanos del capítulo 4 de Juan después de que la mujer samaritana se lo hubo presentado: «Muchos samaritanos de aquella ciudad creyeron en Él por las palabras de la mujer, que atestiguaba: "Me ha dicho todo lo que he hecho". Cuando llegaron donde Él los samaritanos, le rogaron que se quedara con ellos. Y se quedó allí dos días. Y fueron muchos más los que creyeron por sus palabras, y decían a la mujer: "Ya no creemos por tus palabras, porque nosotros mismos hemos visto y oído y sabemos que éste es el Salvador del mundo"» (Jn 4,39-42). A esto es a lo que aspira cualquier sacerdote, catequista o anunciador del evangelio: a que sus oyentes le digan: «Ya no creemos por tus palabras, porque nosotros mismos hemos visto y oído». Ésta es la clase de conocimiento de Cristo de la que estoy hablando. Un conocimiento que es impartido por el propio Cristo, no por los libros ni por los predicadores.

San Pablo apreciaba de tal modo este conocimiento que estaba dispuesto a darlo todo por él. Escuchemos sus propias y expresivas palabras: «Pero lo que era para mí ganancia, lo he juzgado una pérdida a causa de Cristo. Más aún: juzgo que todo es pérdida ante la sublimidad del conocimiento de Cristo Jesús, mi Señor, por quien perdí todas las cosas, y las tengo por basura para ganar a Cristo y ser hallado en Él, no con la justicia mía, la que viene de la Ley... y conocerle a Él, el poder de su resurrección y la comunión en sus padecimientos, hasta hacerme semejante a Él en su muerte...» (Flp 3,7-10).

¿Es para nosotros el conocimiento de Cristo lo que fue para Pablo? Hoy nos esforzamos muchísimo por adquirir todo tipo de conocimientos en orden a nuestro apostolado, según decimos; y probablemente es muy conveniente que lo hagamos. Sin embargo, todo ello (todos nuestros estudios, títulos, diplomas, etc.) no vale para nada si no conseguimos adquirir aquel otro conocimiento.

Recuerdo haber leído en algún lugar la historia de un relojero que entró en el ejército y que, cuando descubrieron que era un fenómeno reparando relojes, se encontró con tanto trabajo que, cuando llegaba el momento del combate, estaba demasiado ocupado en reparar relojes y no tenía tiempo para luchar; ni siquiera tenía el conocimiento ni la predisposición indispensables para luchar con un mínimo de eficacia. ¡Cuántos sacerdotes se han especializado hoy en toda clase de disciplinas y saberes... y, sin embargo, apenas conocen a Cristo! Sencillamente, no han tenido tiempo para ello (¿en qué demonios están tan ocupados?, se pregunta uno), y difícilmente puede esperarse de ellos que sientan el más mínimo entusiasmo por transmitir a otros lo que ellos no han conseguido aprender.

Debemos persuadirnos profundamente de que ese conocimiento de Cristo es algo que toda la reflexión y toda la meditación del mundo no pueden proporcionarnos. Es puro don de Dios. Lo único que podemos hacer es pedirlo, humilde y constantemente, en la oración. Os sugiero que pidáis la intercesión de Nuestra Señora para que os obtenga esta gracia, sabiendo que es el Padre quien ha de daros a conocer a Cristo y mostraros quién es: «Bienaventurado eres, Simón, hijo de Jonás, porque no te ha revelado esto la carne ni la sangre, sino mi Padre que está en los cielos» (Mt 16,17). «Yo te bendigo, Padre, Señor del cielo y de la tierra, porque has ocultado estas cosas a los sabios y prudentes y se las has revelado a los pequeños. Sí, Padre, pues tal ha sido tu beneplácito. Todo me ha sido entregado por mi Padre, y nadie conoce bien al Hijo sino el Padre, ni al Padre le conoce nadie sino el Hijo y aquel a quien el Hijo se lo quiera revelar» (Mt 11,25-27).

Para adquirir este conocimiento, el hombre debe ser «dado» al Hijo por el Padre: «Ésta es la vida eterna: que te conozcan a ti, el único Dios verdadero, y a tu enviado Jesucristo... Yo he manifestado tu Nombre a los que me has *dado* sacándolos del mundo» (Jn 17,3.6). «Todo lo que me *dé* el Padre vendrá a mí, y al que venga a mí no lo echaré fuera... Ésta es la voluntad del que me ha enviado: que no pierda nada de lo que él me ha *dado*... Nadie puede venir a mí si el Padre que me ha enviado no le atrae...» (Jn 6,37ss).

«Yo soy el buen pastor, y conozco a mis ovejas, y ellas me conocen a mí» (Jn 10,14).

Los discípulos adquirieron este conocimiento de Cristo de un modo gradual. En Jn 14,9 leemos lo siguiente: «¿Tanto tiempo estoy con vosotros y no me conoces, Felipe?» Y en Lc 9,44-45 leemos esto otro: «Dijo Jesús a sus discípulos: "Poned en vuestros oídos estas palabras: el Hijo del hombre va a ser entregado en manos de los hombres". Pero ellos no entendían esto; les estaba velado, de modo que no lo entendían, y temían preguntarle acerca de este asunto».

Esto de que el conocimiento de Cristo es puro don de Dios lo expresa admirablemente una persona de la que quizá no cabría esperarlo: el Mahatma Gandhi. Todos sabemos cuánto admiraba Gandhi a Jesús y cuán heroicamente vivió los principios del Sermón del Monte. Sin embargo, nunca se hizo cristiano ni pudo aceptar a Jesús como el Hijo de Dios. El protestante Stanley Jones, que fue un gran admirador de Gandhi, escribió en cierta ocasión a éste la siguiente carta: «Usted sabe el amor que le profeso y cuánto me he esforzado por explicar a Occidente la figura de Usted y su movimiento de no-violencia. Pero hay algo en lo que me siento bastante decepcionado. Yo pienso que Usted ha comprendido ciertos principios de la fe cristiana que le han moldeado a Usted y le han ayudado a ser verdaderamente grande; y es cierto: ha comprendido Usted los principios, pero se ha olvidado de la Persona. Usted dijo en Calcuta a los misioneros que no buscaba consuelo en el Sermón del Monte, sino en el Bhagavad-Gita. Tampoco yo busco consuelo en el Sermón del Monte, sino en esa Persona que encarna en sí misma y ejemplifica el Sermón del Monte; una Persona que es mucho más. Aquí es donde creo que no ha logrado Usted comprender debidamente. Si me lo permite, le sugeriría que intentara llegar, a través de esos principios, a la Persona, y que luego nos dijera lo que ha encontrado. No le digo esto como un simple apologeta del cristianismo. Se lo digo porque necesitamos de Usted y del ejemplo que podría darnos si realmente llegara Usted a comprender el verdadero centro: la Persona».

Gandhi le respondió a vuelta de correo: «Aprecio enormemente el amor que se refleja en su carta y su bienintencionada sugerencia, pero mi dificultad viene de muy atrás. Otros amigos ya me han sugerido con anterioridad algo parecido. Pero no puedo adoptar esa postura intelectualmente; es preciso que el corazón se sienta tocado. Saulo no se convirtió en Pablo mediante un esfuerzo intelectual, sino porque algo tocó su corazón. Lo único que puedo decir es que mi corazón está absolutamente abierto y que no actúo de manera interesada. Deseo encontrar la verdad y ver a Dios cara a cara».

Pidamos, pues, al Padre que nos atraiga hacia Cristo y nos permita conocerle, porque nadie conoce a Cristo, sino el Padre. Pidamos también al Espíritu Santo esta gracia, porque «el Espíritu todo lo sondea, hasta las profundidades de Dios. En efecto, ¿qué hombre conoce lo íntimo del hombre, sino el espíritu del hombre que está en él? Del mismo modo, nadie conoce lo íntimo de Dios, sino el Espíritu que viene de Dios. Y nosotros no hemos recibido el espíritu del mundo, sino el Espíritu que viene de Dios, para conocer las gracias que Dios nos ha otorgado» (1 Cor 2,10-12).

Amar a Cristo

No es posible conocer a Cristo tal como lo he descrito sin enamorarse de Él y sin dejarse cautivar por su bondad y su belleza. Cuanto más profundo sea nuestro conocimiento de Él, tanto mayor será nuestro amor por Él. Y cuanto más le amemos, más profundamente le conoceremos, porque, para conocer realmente a una persona, es imprescindible verla con los ojos del amor.

Jesús pretendía ser amado de este modo. Por lo general, cualquier «líder» o reformador religioso proclama un ideal exterior a él mismo. Sólo Jesús se proclama a sí mismo y hace de sí mismo el centro de su doctrina. «Sígueme *a mí*, dice Jesús, y no sólo la doctrina o el ideal que propongo.

Quien ama a su padre o a su madre más que a mí, no es digno de mí. Yo soy el camino, la verdad y la vida. Lo que hicisteis con el más pequeño de mis hermanos, conmigo lo hicisteis...» Cuando llega a su patria chica, Nazaret, es a sí mismo a quien proclama, y luego exige la lealtad y la fe. «Desenrollando el volumen, halló el pasaje donde estaba escrito: "El Espíritu del Señor sobre mí, porque me ha ungido..." Y luego comenzó a decirles: "Esta Escritura que acabáis de oír se ha cumplido hoy"» (Lc 4,17-18.21). La conversión no es simple conversión a un sistema intelectual o a una filosofía, ni siquiera a un mensaje de Dios, sino que, en última instancia, consiste en dirigir totalmente el corazón al Padre. Pero es también, y esencialmente, conversión a Cristo. Conversión del corazón a Cristo (y entiendo «corazón» en su sentido bíblico de centro de la personalidad, sede del espíritu, la libertad y los afectos de la persona). Un corazón vuelto hacia Cristo: eso es la *metanoia*. Un corazón habitado por Cristo, lleno de Cristo («Que Cristo habite por la fe en vuestros corazones»: Ef 3,17). Un corazón asimilado a Cristo y que ha asumido los valores, criterios y puntos de vista de Cristo con respecto a Dios, al mundo, a la vida, al hombre... («Tened entre vosotros los mismos sentimientos que tuvo Cristo»: Flp 2,5; «¿Quién conoció el pensamiento del Señor para instruirle? Pero nosotros poseemos el pensamiento de Cristo»: 1 Cor 2,16).

No dudemos, pues, en entregar todo nuestro corazón a Cristo, en derramar sobre Él toda la riqueza de nuestro amor y de nuestro afecto. Esforcémonos por adquirir aquel fantástico amor que sintió Pablo, un amor tan intenso que le permitió hacer las más atrevidas afirmaciones: «¿Quién nos separará del amor de Cristo? ¿La tribulación?, ¿la angustia?, ¿la persecución?, ¿el hambre?, ¿la desnudez?, ¿los peligros?, ¿la espada?... Estoy seguro de que ni la muerte ni la vida ni los ángeles ni los principados ni lo presente ni lo futuro ni las potestades ni la altura ni la profundidad ni otra criatura alguna podrá separarnos del amor manifestado en Cristo Jesús, Señor Nuestro» (Rom 8,35-39).

Seguir a Cristo

Creo haber hablado suficientemente sobre este tema en mi anterior charla. Lo que pretendo ahora es subrayar el hecho de que, cuando somos llamados a seguir a Cristo y a llevar la cruz, no se nos llama a seguir a Cristo tristes y melancólicos. Si es verdad que no hay nadie en el mundo tan feliz como el ser humano que ha encontrado a Dios y le ha entregado por entero su corazón, entonces no cabe duda de que el hombre más feliz del mundo fue Jesús. Pero Jesús dijo a sus discípulos que era necesario que el Mesías padeciera y, así, entrara en la gloria. Y esto mismo es lo que nos promete a sus seguidores: si le seguimos en el sufrimiento, le seguiremos también en la gloria. Ahora bien, es un error pensar que la gloria vendrá únicamente después de la muerte, porque ya aquí, en la tierra, nos es dado disfrutarla en gran medida. Nos dice Jesús en el Sermón del Monte que son verdaderamente felices y afortunados los pobres, los mansos, los pacíficos... Y aquí no está hablando, ante todo, de la felicidad celeste, sino de la felicidad que habremos de experimentar en la tierra si vivimos las bienaventuranzas. La felicidad que es fruto del Espíritu que ya al presente nos es otorgado, y que se concreta en amor, alegría, paz... (Cf. Gal 5).

¿No es significativo el hecho de que, en el mismo discurso en que Jesús predijo a sus apóstoles que habrían de ser perseguidos y habrían de padecer, les prometiera también la alegría y la paz? «Os he dicho esto para que no os escandalicéis. Os expulsarán de las sinagogas. E incluso llegará la hora en que quien os mate piense que da culto a Dios» (Jn 16,1-2). Esto les dice Jesús. Pero en el mismo contexto les habla también de la paz y la alegría que habrá de infundirles en medio de los padecimientos: «La paz os dejo, mi paz os doy; pero no como la da el mundo. No se turbe vuestro corazón ni se acobarde... Os he dicho esto para que mi gozo esté en vosotros y vuestro gozo sea colmado... ¿Andáis preguntándoos acerca de lo que os dije: ''Dentro de poco no me veréis, y poco después me volveréis a ver''? Yo os aseguro que lloraréis y os lamentaréis, y el mundo se alegrará. Estaréis tristes, pero vuestra tristeza se convertirá en gozo. La mujer, cuando da a luz, está triste, porque le ha llegado su hora; pero cuando el niño le ha nacido, ya no se acuerda del aprieto, por el gozo de que ha nacido un hombre en el mundo. También vosotros estáis tristes ahora, pero volveré a veros y se alegrará vuestro corazón, y nadie os podrá quitar vuestra alegría. Aquel día no me preguntaréis nada. Yo os aseguro, lo que pidáis al Padre en mi nombre, os lo dará... Os he dicho estas cosas para que tengáis paz en mí. En el mundo tendréis tribulación, pero ¡ánimo!: yo he vencido al mundo» (Jn 14,27; 15,11; 16,19-23.33).

Esta profecía de Jesús se cumplió muy poco después de su muerte, tanto en la vida de los apóstoles como en la de los primeros cristianos. En Hch 5,40-41 leemos: «Entonces llamaron a los apóstoles y, después de haberles azotado, les intimaron para que no hablaran en nombre de Jesús. Y los dejaron libres. Ellos marcharon de la presencia del Sanedrín contentos por haber sido considerados dignos de sufrir ultrajes por el Nombre». Y en Hch 13,50-52: «Promovieron una persecución contra Pablo y Bernabé y les echaron de su territorio... Y los discípulos quedaron llenos de gozo y del Espíritu Santo». Y a los tesalonicenses les recuerda Pablo cómo «abrazaron la Palabra con gozo del Espíritu Santo en medio de muchas tribulaciones» (1 Tes 1,6).

Pablo había experimentado ciertamente en su propia vida este misterio del gozo y la paz intrínsecamente unidos a la cruz, y da testimonio de ello con enorme elocuencia. Quisiera que recordáramos juntos algunos pasajes de sus cartas en los que, además de describir lo que el seguimiento de Cristo suspuso para él de sufrimiento, habla también de la consolación que ello le produjo. Tal vez queráis inspiraros en estos pasajes para vuestra oración:

«¡Bendito sea el Dios y Padre de nuestro Señor Jesucristo, Padre de las misericordias y Dios de toda consolación, que nos consuela en todas nuestras tribulaciones para poder nosotros consolar a los que están en cualquier tribulación mediante el consuelo con que nosotros somos consolados por

Dios! Pues, así como abundan en nosotros los sufrimientos de Cristo, así también abunda, gracias a Cristo, nuestra consolación» (2 Cor 1,3-5).

«Ahora me alegro por los padecimientos que soporto por vosotros, y completo en mi carne lo que falta a las tribulaciones de Cristo, en favor de su Cuerpo, que es la Iglesia» (Col 1,24). Sobre este versículo comenta la Biblia de Jerusalén: «Cristo padeció para fundar el Reino de Dios, y todos los que prosiguen su obra han de participar igualmente de sus padecimientos».

«Nos presentamos en todo como ministros de Dios, con mucha constancia en tribulaciones, necesidades y angustias; en azotes, cárceles y sediciones; en fatigas, desvelos y ayunos; en pureza, ciencia, paciencia y bondad; en el Espíritu Santo, en caridad sincera, en la palabra de verdad, en el poder de Dios...; en gloria e ignominia, en calumnia y en buena fama; tenidos por impostores, siendo veraces; como desconocidos, aunque bien conocidos; como quienes están a la muerte, pero vivos; como castigados, aunque no condenados a muerte; como tristes, pero siempre alegres; como pobres, aunque enriquecemos a muchos; como quienes nada tienen, aunque todo lo poseemos» (2 Cor 6,4-10).

«En cualquier cosa en que alguien presumiere (es una locura lo que digo) también presumo yo. ¿Que son hebreos? ¡También yo lo soy! ¿Que son israelitas? ¡También yo! ¿Que son descendencia de Abraham? ¡También yo! ¿Que son ministros de Cristo? Diré una locura: ¡yo más que ellos! Más en trabajos; más en cárceles; muchísimo más en azotes; en peligros de muerte, muchas veces. Cinco veces recibí de los judíos cuarenta azotes menos uno. Tres veces fui azotado con varas; una vez apedreado; tres veces naufragué; un día y una noche pasé náufrago en el mar. Viajes frecuentes; peligros de ríos; peligros de salteadores; peligros de los de mi raza; peligros de los gentiles; peligros en ciudad; peligros en despoblado; peligros por mar; peligros entre falsos hermanos; trabajo y fatiga; noches sin dormir, muchas veces; hambre y sed; muchos días sin comer; frío y desnudez. Y, aparte de otras cosas, mi responsabilidad diaria: la preocupación por todas las Iglesias... ¿Que hay que gloriarse, aunque no trae ninguna utilidad? Pues vendré a las visiones y revelaciones del Señor. Sé de un hombre en Cristo, el cual hace catorce años (si en el cuerpo o fuera del cuerpo, no lo sé; Dios lo sabe) fue arrebatado hasta el tercer cielo. Y sé que este hombre (si en el cuerpo o fuera del cuerpo, no lo sé; Dios lo sabe) fue arrebatado al paraíso y oyó palabras inefables que el hombre no puede pronunciar. De eso tal me gloriaré; pero, en cuanto a mí, sólo me gloriaré en mis flaquezas. Si pretendiera gloriarme, no haría el necio; diría la verdad. Pero me abstengo de ello, no sea que alguien se forme de mí una idea superior a lo que en mí ve u oye decir de mí. Y por eso, para que no me engría con la sublimidad de esas revelaciones, fue dado un aguijón a mi carne, un ángel de Satanás que me abofetea para que no me engría. Por este motivo, tres veces rogué al Señor que se alejase de mí. Pero él me dijo: ''Te basta mi gracia, que mi fuerza se muestra perfecta en la flaqueza''. Por tanto, con sumo gusto seguiré gloriándome, sobre todo, en mis flaquezas, en las injurias, en las necesidades, en las persecuciones y las angustias sufridas por Cristo, porque, cuando estoy débil, entonces es cuando soy fuerte» (2 Cor 11,21-28; 12,1-10). ¿Os habéis fijado de qué cosas se enorgullece el apóstol Pablo? No de haber erigido fantásticos edificios, ni de haber ocupado grandes titulares, ni de haber obtenido éxitos extraordinarios. De lo que se enorgullece es de las pruebas y padecimientos que ha soportado por Cristo, de sus experiencias místicas... ¡y de su debilidad, que le ha permitido experimentar el poder de Cristo!

«Con Cristo estoy crucificado; y vivo, pero no yo, sino que es Cristo quien vive en mí; la vida que vivo al presente en la carne, la vivo en la fe del Hijo de Dios, que me amó y se entregó por mí» (Gal 2,19-20).

«En adelante, nadie me moleste, pues llevo en mi cuerpo las señales de Jesús» (Gal 6,17). Y el comentario de la Biblia de Jerusalén a este versículo dice: «Las cicatrices de los malos tratos soportados por Cristo; cf. 2 Cor 6,45; 11,23s.»

«Pero llevamos este tesoro en vasos de barro, para que aparezca que la extraordinaria grandeza del poder es de Dios y que no viene de nosotros. Atribulados en todo, mas no aplastados; perplejos, mas no desesperados; perseguidos, mas no abandonados; derribados, mas no aniquilados. Llevamos siempre en nuestros cuerpos por todas partes el morir de Jesús, a fin de que también la vida de Jesús se manifieste en nuestro cuerpo. Pues, aunque vivimos, nos vemos continuamente entregados a la muerte por causa de Jesús, a fin de que también la vida de Jesús se manifieste en nuestra carne mortal... Y todo esto para vuestro bien, a fin de que la gracia abundante haga crecer para gloria de Dios la multitud de los que dan gracias. Por eso no desfallecemos. Aun cuando nuestro hombre exterior se va desmoronando, el hombre interior se va renovando de día en día» (2 Cor 4,7-11.15-16).

«Espero que en modo alguno seré confundido, sino que con plena seguridad, ahora como siempre, Cristo será glorificado en mi cuerpo, por mi vida o por mi muerte, pues para mí la vida es Cristo, y la muerte una ganancia. Pero, si el vivir en la carne significa para mí trabajo fecundo, no sé qué escoger. Me siento apremiado por las dos partes: por una parte, deseo partir y estar con Cristo, lo cual, ciertamente, es con mucho lo mejor; mas, por otra parte, quedarme en la carne es más necesario para vosotros. Y, persuadido de esto, sé que me quedaré y permaneceré con todos vosotros para progreso y gozo de vuestra fe, a fin de que tengáis por mi causa un nuevo motivo de orgullo en Cristo Jesús cuando yo vuelva a estar entre vosotros» (Flp 1,20-26).

A estos pasajes podéis añadir los de Flp 3,7ss y Rom 8,35ss, que ya he citado en anteriores charlas y que no es preciso repetir aquí.

Lo que sí quiero citar son algunos pasajes evangélicos relacionados con el seguimiento de Cristo:

«El que ama a su padre o a su madre más que a mí, no es digno de mí; el que ama a su hijo o a su hija más que a mí, no es digno de mí. El que no tome su cruz y me siga, no es digno de mí. El que encuentre su vida, la perderá; y el que pierda su vida por mí, la encontrará» (Mt 10,37-39; cf. 16,24-26).

«Si alguno viene donde mí y no odia a su padre, a su madre, a su mujer, a sus hijos, a sus hermanos, a sus hermanas y hasta su propia vida, no puede ser discípulo mío. El que no lleve su cruz y venga en pos de mí, no puede ser discípulo mío. Porque ¿quién de vosotros, queriendo edificar una torre, no se sienta primero a calcular los gastos y ver si tiene para acabarla? No sea que, habiendo puesto los cimientos y no pudiendo terminar, todos los que lo vean se pongan a burlarse de él... Pues, de igual manera, cualquiera de vosotros que no renuncie a todos sus bienes no puede ser discípulo mío» (Lc 14,26-29.33).

«El que me sirva, que me siga y, donde yo esté, allí estará también mi servidor» (Jn 12,26).

A la petición de los hijos de Zebedeo de ocupar los primeros lugares en el Reino, Jesús responde: «"No sabéis lo que pedís. ¿Podéis beber el cáliz que yo voy a beber, o ser bautizados con el bautismo con que yo voy a ser bautizado?" Ellos le contestaron: "Sí, podemos"...» Y poco después, instruyendo a todos sus discípulos, prosigue Jesús: «El que quiera llegar a ser grande entre vosotros, será vuestro servidor; y el que quiera ser el primero entre vosotros, será esclavo de todos, que tampoco el Hijo del hombre ha venido a ser servido, sino a servir y a dar su vida como rescate de muchos» (Mc 10,38-39.43-45).

«Ha llegado la hora de que sea glorificado el Hijo del hombre. En verdad, en verdad os digo: si el grano de trigo no cae en tierra y muere, queda él solo; pero, si muere, da mucho fruto. El que ama su vida, la pierde; el que odia su vida en este mundo, la guardará para una vida eterna. El que me sirva, que me siga y, donde yo esté, allí estará también mi servidor. Al que me sirva, el Padre le honrará» (Jn 12,23-27). «Acordaos de las palabras que os he dicho: No es el siervo más que su señor. Si a mí me han perseguido, también os perseguirán a vosotros; si han guardado mi Palabra, también guardarán la vuestra» (Jn 15,20).

«Mientras iban caminando, uno le dijo: ''Te seguiré adonde quiera que vayas''. Jesús le dijo: ''Las zorras tienen guaridas, y las aves del cielo nidos; pero el Hijo del hombre no tiene donde reclinar la cabeza''. A otro le dijo: ''Sígueme''. Él respondió: ''Déjame ir primero a enterrar a mi padre''. Y le replicó Jesús: ''Deja que los muertos entierren a sus muertos; tú vete a anunciar el Reino de Dios''. Otro le dijo: ''Te seguiré, Señor; pero déjame antes despedirme de los de mi casa''. Le dijo Jesús: ''Nadie que pone la mano en el arado y mira hacia atrás es apto para el Reino de Dios''» (Lc 9,57-62).

Si queréis, podéis tomar para la oración cualquiera de estos pasajes e inspiraros en ellos para profundizar en vuestro seguimiento de Cristo. Pero, por encima de todo, pedid insistentemente la gracia de dicho seguimiento. La fe y la insistencia en la oración os proporcionarán lo que no puede daros toda la meditación y la reflexión que podáis hacer. Os dije que quería ofreceros un método de contemplación de la vida de Cristo que puede ayudaros a conocer y amar a éste más profundamente. Éste será el tema de nuestra próxima charla.

16
Meditación
sobre la vida de Cristo

Hay una forma de meditar sobre la vida de Cristo tal como la refieren los evangelios que es vivamente recomendada por muchos santos como muy útil para alcanzar la intimidad con Cristo. Dicha forma de meditar implica el uso de la fantasía. La fantasía es un instrumento que emplean con gran éxito muchos psicoterapeutas modernos, que están empezando a constatar que el mundo de la fantasía no es, en modo alguno, tan irreal como parece ser, y que, lejos de ser un mundo de evasión y de irrealidad, de hecho revela realidades tan profundas o más que las que captamos con el entendimiento; por eso la fantasía es un instrumento sumamente eficaz para curar y para crecer.

Primero voy a descibir esa forma de oración, y luego comentaré algunas de las objeciones que suelen hacérsele. Tomemos una escena de la vida de Cristo (Jn 5,1-9, por ejemplo) como modelo que luego podéis aplicar a otras escenas. Leamos el pasaje:

«Después de esto, hubo una fiesta de los judíos, y Jesús subió a Jerusalén. Hay en Jerusalén, junto a la Puerta de las Ovejas, una piscina, que en hebreo se llama ''Bezatá'', con cinco pórticos. En ellos yacía una multitud de enfermos, ciegos, cojos, paralíticos, esperando la agitación del agua.

(Porque el Angel del Señor bajaba de tiempo en tiempo a la piscina y agitaba el agua; y el primero que se metía después de la agitación del agua, quedaba curado de cualquier mal que tuviera). Había allí un hombre que llevaba treinta y ocho años enfermo. Jesús, viéndole tendido y sabiendo que llevaba ya mucho tiempo, le dice: "¿Quieres curarte?" Le respondió el enfermo: "Señor, no tengo a nadie que me meta en la piscina; y, mientras yo voy, otro baja antes que yo". Jesús le dice: "Levántate, toma tu camilla y anda". Y al instante el hombre quedó curado, tomó su camilla y echó a andar».

Quisiera que ahora os trasladaseis con la fantasía a aquel lugar llamado «Bezatá», con sus cinco pórticos. Fijaos en los enfermos que hay allí. Moveos entre ellos. ¿Qué sentís al verlos? Fijaos ahora en nuestro paralítico, que se encuentra a cierta distancia. Id hacia él y hablad con él. ¿Cuál creéis que es la causa de su enfermedad? ¿Qué impresión os produce ese hombre? ¿Os gusta u os desagrada? Mientras habláis con él, ved cómo Jesús entra en el recinto y mira a los enfermos que hay a su alrededor. ¿Qué creéis que está pensando y sintiendo? ¿Se detiene a hablar con alguno de ellos o se dirige directamente hacia nuestro paralítico? Haceos a un lado para dejar paso a Jesús cuando llega hasta allí y escuchad lo que dice al paralítico y lo que, a su vez, éste le responde. No os perdáis ningún detalle de la actitud de Jesús, de sus sentimientos, de sus palabras, de su comportamiento... Escuchad especialmente estas palabras: «¿Quieres curarte?» Los evangelios no nos refieren más que un fragmento de la conversación. Completadla con vuestra imaginación. Y escuchad ahora esas enérgicas y tajantes palabras: «Levántate, toma tu camilla y anda». Fijaos en lo que ocurre. Observad los sentimientos y reacciones del paralítico y los del propio Jesús.

Jesús se vuelve ahora hacia ti. ¿Padeces alguna enfermedad física, espiritual o anímica? Háblale de ello y escucha lo que él te diga. ¿Qué respondes cuando él te dice: «¿Quieres curarte? ¿Deseas realmente curarte, con todas las consecuencias que ello puede acarrearte? Muchas personas no desean curarse, porque el curarse puede ser doloroso, o puede conllevar responsabilidad, o puede exigir renunciar a algo a lo que uno desea aferrarse...»? Si tu respuesta es: «Sí, Señor. Quiero curarme», entonces escucha cómo el Señor pronuncia también para ti su poderosa palabra. Éste es un momento de gracia. Jesús es tan real y tan poderoso y está tan presente aquí como cuando, hace veinte siglos, se encontraba frente a aquel paralítico. Si tienes fe en su poder, también tú experimentarás su efecto curativo, tal vez de un modo no tan espectacular como el paralítico, pero tampoco menos eficaz. A continuación, emplea algún tiempo en conversar tiernamente con él.

Pasemos ahora a las objeciones que se hacen a esta forma de meditación. La primera: «Lo de menos es que haya sido recomendada por místicos como san Buenaventura o san Ignacio de Loyola. Lo cierto es, sencillamente, que esas escenas que se imaginan no son reales, sino artificiales». La respuesta a esta objeción es bien simple: la escena, evidentemente, no es históricamente cierta. Pero sí contiene una verdad; una verdad que no pertenece al ámbito de la historia, sino al ámbito del misterio. Me explicaré: san Ignacio de Loyola, que en sus Ejercicios Espirituales recomienda este método como la principal manera de orar, había ido en peregrinación a Tierra Santa poco después de su conversión. Había leído en la *Vida de Cristo* de Ludolfo de Sajonia estas palabras tomadas de san Buenaventura: «Si quieres sacar provecho de estas meditaciones, deja a un lado todas tus preocupaciones y ansiedades y, amorosa y contemplativamente, con todos los sentidos de tu corazón, haz presente a ti mismo cuanto Jesús dijo e hizo, como si estuvieras oyéndolo con tus oídos y viéndolo con tus ojos. Y todo ello te resultará luego dulce como la miel, porque reflexionas sobre ello con vehemente anhelo y lo saboreas aún más. Y, aun cuando esté referido en tiempo pasado, contémplalo como si fuera presente. Ve a Tierra Santa, besa con espíritu ardiente la tierra que pisó Jesús. Haz presente a tu imaginación cómo hablaba y andaba con sus discípulos y con los pecadores; cómo habla y cómo predica, cómo pasea y cómo descansa, cómo duerme y cómo vela, cómo se alimenta y cómo hace milagros. Graba en tu corazón su conducta y sus acciones». Y, habiendo leído estas palabras, san Ignacio no dudó en ponerlas en práctica en su oración. Pero su corazón vehemente no quedó en paz hasta que pudo ver con sus propios ojos la anhelada Tierra Santa. Una vez allí, grabó en su memoria hasta el más pequeño detalle: las colinas, los valles y los campos que vio Jesús, los caminos que recorrió, las casas donde le dijeron que había vivido... En el Monte de los Olivos veneró devotamente la roca desde la que se supone que Jesús ascendió al cielo y en la que, al parecer, había dejado impresas las huellas de sus pies. Cuando marchaba de allí, de pronto recordó que no había observado en qué dirección apuntaban los pies de Jesús cuando ascendió al cielo. De modo que regresó por su cuenta, corriendo un gran peligro, y tuvo que sobornar a los guardias para que le dejasen pasar y poder observar aquel pequeño detalle, entregándoles el último objeto de valor que poseía: un cuchillo de escribanía.

No es de extrañar, pues, que en los Ejercicios Espirituales pida al ejercitante que reconstruya por sí mismo las escenas de la vida de Cristo. En su contemplación del Nacimiento prescribe al ejercitante «ver el camino desde Nazaret a Bethlem, considerando la longura, la anchura, y si llano o si por valles o cuestas sea el tal camino; asimismo mirando el lugar o espelunca del nacimiento, cuán grande, cuán pequeño, cuán bajo, cuán alto y cómo estaba aparejado» (EE. 112). ¿Porqué deja Ignacio todo esto a la imaginación del ejercitante? Si él mismo había visto aquellos lugares (o lo que devotamente creía que lo eran), ¿no podía haberlos descrito con todo detalle? La verdad es que no tenía demasiada importancia la reconstrucción exacta de la escena; más aún: no tenía importancia alguna. Ignacio quiere que el ejercitante acuda a su propio Nazaret y a su propio Belén. La fantasía le ayudará a deducir una verdad del misterio mucho más importante que la verdad de la historia. La fantasía nos pone en contacto con Jesucristo. Y esto es mucho más importante que toda la exactitud histórica del mundo. Se cuenta que san Francisco de Asís tuvo en el Monte Alvernia una visión de Jesús crucificado y que, con toda ternura, lo desenclavó de la cruz.

Ahora bien, san Francisco de Asís no estaba loco; era plenamente consciente, tan consciente al menos como podamos serlo nosotros hoy, de que Jesús, habiendo muerto una vez, ya no vuelve a morir. Y, sin embargo, mientras lo desenclavaba amorosamente de la cruz y se ponía él en su lugar, estaba representando un profundo misterio de amor (a pesar de toda la fantasía) ante el que la mente y la teología racional deberían guardar un respetuoso silencio. De hecho, a san Francisco le debemos la entrañable costumbre navideña del «belén» o «nacimiento». Y estoy seguro de que, aunque él hubiera conocido los hallazgos de la ciencia bíblica moderna, habría construido su «belén» exactamente igual que lo hizo. Y es que lo de menos es si los acontecimientos ocurrieron históricamente tal como son narrados en los evangelios. Lo importante es que, a través de esos símbolos imaginativos, entramos en contacto con la realidad. Si fuéramos capaces de hacernos de nuevo como niños y adentrarnos sin reparos en ese aparente mundo de ficción, puede que, para nuestra sorpresa, descubriéramos allí a Cristo, más allá de toda fantasía, con mayor profundidad que la que puede proporcionarnos toda nuestra reflexión y especulación teológica.

San Antonio de Padua es uno de los muchos santos de quienes se dice que tuvieron al Niño Jesús en sus brazos y pudieron regalarle con sus tiernas caricias. Y san Antonio, además de no ser ningún loco, sabía la suficiente teología como para que lo declararan «Doctor de la Iglesia», e indudablemente sabía que Jesús ya no era niño. Pero, afortunadamente, también era lo bastante místico como para captar la profunda realidad mística que subyacía a su visión y abandonarse por entero a la «realidad-fantasía» de la misma, si se me permite emplear dicha expresión.

Si también vosotros sois capaces de haceros niños y de adentraros en ese mundo de fantasía mientras meditáis los evangelios, probablemente descubriréis muchos y extraordinarios tesoros ocultos que no podríais descubrir de otra manera. Emplead un día entero, por ejemplo, en estar con la Sagrada Familia de Nazaret. Compartid su vida sencilla, ayudadles en su trabajo, hablad con Jesús, María y José de sus vidas y problemas y de los vuestros. O uníos a los discípulos mientras el Señor les instruye en privado, y hacedle vuestras propias preguntas. O acudid a Betania y sentaos junto a María, mientras escucha al Señor, o ayudad a la pobre y alocada Marta en sus trabajos domésticos. No habréis de enriquecer vuestra erudición bíblica, pero seguro que el Señor os dará la sabiduría escondida que ha reservado para los pequeños.

Hay otra objeción a este método de oración, independientemente de las dificultades históricas que supone el imaginar cosas ocurridas hace mucho tiempo y verlas como si estuvieran sucediendo ahora. Dicha objeción podría formularse así: «Cuando imagino a Cristo conmigo, o delante de mí, y le hablo, no hay ningún problema; lo malo es cuando Cristo me responde. No puede ser Cristo quien me habla. Es producto de mi imaginación: soy yo quien pone las palabras en su boca. Soy yo, efectivamente, quien se habla a sí mismo».

Es verdad. Muchas veces, sobre todo cuando empezamos a practicar esta forma de dialogar con Cristo, las palabras de éste no son más que nuestras propias y piadosas reflexiones. En esto consiste el pensar o reflexionar: en hablarse uno a sí mismo. Y en este caso lo hacemos a través de la imagen de Cristo, a quien imaginamos presente delante de nosotros. Sin embargo, no habrá de pasar mucho tiempo antes de que, en determinadas ocasiones, sintamos que esas palabras que creemos oir como provenientes de Cristo no son puro invento de nuestra imaginación. A veces la propia respuesta nos sobrecogerá, y nos preguntaremos de dónde ha podido venir, porque revela una enorme perspicacia que nosotros no poseemos. Otras veces, las palabras parecerán sumamente vulgares, carentes de agudeza o de una especial clarividencia; pero su efecto es absolutamente inusual: proporcionan una repentina e inesperada paz, o una gran fuerza, o una intensa consolación, o un profundo gozo en el servicio de Dios... Y, junto con ello, el convencimiento de que, de algún modo, el Señor se ha comunicado con nosotros y nos ha concedido un don, bajo la apariencia de esas palabras que nosotros le estábamos «haciendo» decir en nuestra imaginación.

Intimamente relacionada con lo anterior, hay una forma de ser consciente de la presencia de Dios, de la presencia de Cristo junto a nosotros a lo largo del día, que es insistentemente recomendada por santa Teresa de Jesús, entre otros. Consiste en imaginar que Cristo está a nuestro lado todo el día y en conversar constante y amorosamente con él. Un autor lo denomina, con bastante acierto, «ejercicio de la fe imaginativa». Imagina que Cristo está sentado ahí mismo, en tu habitación, y habla con él como si verdaderamente estuvieras viéndole. No es pura fantasía, porque lo que tú imaginas (Cristo, el Señor resucitado) está realmente allí, aunque no exactamente con los rasgos físicos, el ropaje, los gestos y las actitudes con que tú lo imaginas.

Esto es, más o menos, lo que Ignacio de Loyola recomienda en sus Ejercicios Espirituales cuando dice que «el coloquio se hace, propiamente hablando, así como un amigo habla a otro, o un siervo a su señor: cuándo pidiendo alguna gracia, cuándo culpándose por algún mal hecho, cuándo comunicando sus cosas y queriendo consejo en ellas» (EE. 54). Inmediatamente antes, especificando el coloquio que ha de hacerse en la meditación del pecado, dice: «Imaginando a Cristo nuestro Señor delante y puesto en cruz, hacer un coloquio: cómo de Criador es venido a hacerse hombre, y de vida eterna a muerte temporal, y así a morir por mis pecados» (EE. 53). Observemos que a lo que Ignacio no surge es a hacerle preguntas a Cristo y a pedirle consejo, y ambas cosas presuponen algún tipo de respuesta por parte del Señor. El propio Ignacio no duda en modo alguno que el Señor responde efectivamente al ejercitante revelándole lo que desea de él y guiándolo personalmente, ya sea mediante el recurso de la fe imaginativa o a través de una profunda comunicación interior que trasciende todo tipo de palabras, conceptos e imágenes. He aquí sus palabras: «El que da los Ejercicios no debe mover al que los recibe más a pobreza ni a promesa que a sus contrarios, ni a un estado o modo de vivir que a otro. Porque, dado que fuera de los Ejercicios lícita y meritoriamente podamos mover a todas las personas, que probabiliter tengan subyecto, para elegir continencia, virginidad, religión y toda manera de perfección evangélica, tamen, en los tales Ejercicios Espirituales más conveniente y mucho mejor es, buscando la divina voluntad, que *el mismo Criador y Señor se comunique a la su ánima devota,* abrazándola en su amor y alabanza y disponiéndola por la vía que mejor podrá servirle adelante. De manera que el que los da no se decante ni se incline a la una parte ni a la otra; mas, estando en medio, como un peso, *deje inmediatamente obrar al Criador con la criatura,* y a la criatura con su Criador y Señor» (EE. 15). Ya tendremos ocasión de hablar de esta comunicación interior entre el Creador y la criatura, de lo que significa y del modo en que se produce. De momento, baste con saber, especialmente aquellos que no conocen otro modo de «escuchar» a Dios y de dejarse guiar por Él, que el Señor nos habla «graciosamente» recurriendo a lo que antes llamábamos «fe imaginativa». Es muy difícil discernir con el intelecto dónde acaba la imaginación y dónde empieza la realidad. Pero, si nos hacemos niños y tratamos con Dios con sencillez de corazón, desarrollaremos un instinto que nos permitirá distinguir entre lo que es pura imaginación y lo que es la realidad o, mejor, la Realidad (con «R» mayúscula) que se comunica con nosotros a través de las mencionadas imágenes y fantasías.

Quisiera concluir este apartado con las palabras de un famoso «guru» hindú al que una religiosa católica le había preguntado: «Usted dijo hace tiempo que, si un cristiano se hacía discípulo suyo, usted no trataría de convertirle al hinduísmo, sino que intentaría hacer de él un mejor cristiano. ¿Puedo preguntarle cómo se las arreglaría para hacer semejante cosa?» Y el «guru» le dio una respuesta digna del mejor de los directores espirituales católicos, sugiriendo dos de las principales maneras de obtener la experiencia de Jesucristo resucitado: «Me esforzaría por ponerle en contacto con Jesucristo. Y trataría de persuadirle de que lo hiciera teniendo a Cristo constantemente a su lado durante todo el día y leyendo asiduamente las Escrituras».

Sanar los recuerdos

Como una especie de nota o apéndice a lo que hemos dicho acerca de la meditación de la vida de Cristo por medio de la fantasía, quisiera hablar del empleo de este método como un modo de meditar sobre nuestra propia vida, con el propósito de experimentar la curación y el crecimiento. Me explicaré:

Cuando medito sobre alguna escena de la vida de Cristo, lo que intento es hacerme presente a dicha escena. Imagino que me encuentro allí, que tomo parte en los acontecimientos, que hablo, que escucho, que actúo... Y cuando vuelvo sobre alguna escena de mi vida pasada, la revivo tal como sucedió, pero con una diferencia: ahora hago que Cristo tome parte activa en ella. Permitidme que ponga un ejemplo:

Supongamos que rememoro una escena que me produce una gran aflicción: un acontecimiento que me ha humillado (como, por ejemplo, una represión pública) o un hecho que me ha causado gran dolor (como la muerte de un ser querido). Revivo el acontecimiento en cada uno de sus dolorosos detalles, y siento una vez más el dolor, la pérdida, la humillación, la amargura... Pero, esta vez, Jesús está ahí. ¿Qué papel desempeña? ¿Me proporciona consuelo y fortaleza? ¿O quizá es precisamente él el causante de mi dolor, el responsable de esa pérdida? Trato de relacionarme con él, del mismo modo que lo hice con las personas que tomaron parte en el acontecimiento. Busco en él una nueva energía, una explicación de lo que no consigo comprender, un sentido a todo el acontecimiento...

¿Qué pretende este ejercicio? Sencillamente, lo que algunos llaman «sanar los recuerdos». Hay recuerdos que no dejan de afligirnos, situaciones de la vida pasada que no han sido resueltas y que siguen agitándonos por dentro. Esto constituye una eterna herida que de algún modo nos impide zambullirnos plenamente en la vida y que a veces obstaculiza gravemente nuestra capacidad de hacerle frente. Un niño que pierde a su madre a temprana edad puede decidir, semiconscientemente, no volver jamás a amar a nadie, por lo que se pasará la vida añorando ese amor materno que nunca conseguirá. Un niño que ha vivido una situación de profundo miedo o de tremenda soledad se verá constantemente, aunque sea inconscientemente, afectado por dicha situación a la hora de hacerle frente a la vida. Un hombre que se ha visto profundamente humillado por alguien sentirá herida su dignidad o invertirá una enorme cantidad de energía emocional en desear vengarse.

Es importante para nuestro crecimiento personal, tanto espiritual como emocional, que resolvamos esas situaciones no resueltas que no dejan de afligirnos interiormente. Si somos capaces de revivirlas en compañía de Cristo, las veces que haga falta, constataremos que adquieren un nuevo sentido, que se desdramatizan y que podemos volver sobre ellas sin sentir ningún tipo de trastorno emocional; más aún, que en realidad podemos rememorarlas con una sensación de agradecimiento a Dios, que planeó tal tipo de acontecimientos con el fin, entre otras cosas, de que redundaran en provecho nuestro y en gloria suya. Esta forma de oración constituye una buena terapia y una no menos buena espiritualidad.

¿Sobre qué clase de acontecimientos debemos volver en nuestra meditación? Sobre aquellos cuyo recuerdo despierta en nosotros «emociones negativas» como las que ya he mencionado: dolor, humillación, sensación de incapacidad, pesar, sentimientos de inferioridad, miedo, etc. Y os recomiendo que sigáis volviendo sobre ellos mientras persistan esas emociones negativas. Cuando éstas hayan desaparecido y hayáis llegado incluso a sentir amor, agradecimiento y hasta necesidad de alabar a Dios por el acontecimiento en cuestión, entonces ya no habrá necesidad de volver sobre ello. La situación no resuelta ya ha quedado resuelta, sanada y hasta santificada por la presencia de Cristo.

Para muchas personas es aún más importante volver sobre otro tipo de situaciones: aquellos acontecimientos en los que han experimentado un intenso gozo, una sensación de plenitud, o de amor e intimidad. Éstos son los acontecimientos que verdaderamente nos alimentan y robustecen, que nos infunden una nueva vitalidad y un deseo de vivir la vida «a tope». El volver sobre ellos periódicamente y revivirlos en todos sus gratos detalles nos proporciona una energía y una salud psicológicas enormes. Revivirlos en presencia de Cristo supone adquirir un espíritu de agradecimiento y de alabanza y un profundo sentido de la bondad de Dios, intensifica nuestro amor hacia Él y nos ayuda a crecer espiritualmente. Hay en nuestra vida centenares de acontecimientos de este tipo (una conversación con un amigo, una excursión, una fiesta agradable y divertida, un paseo por la playa, el abrazo de una persona querida, la alegría y el consuelo de una buena noticia… y tantas otras situaciones) sumamente ricos en potencial espiritual y emocional, pero que nosotros desechamos y desperdiciamos, porque estamos demasiado ocupados en los más nimios y rutinarios detalles de la vida diaria.

Si, durante estos Ejercicios, hay algún hecho de vuestra vida pasada que se obstine en distraeros y en reclamar vuestra atención, debido a las fuertes emociones implicadas en él (ya sean emociones positivas, como un profundo afecto o una intensa alegría, ya sean negativas, como podrían ser los celos, la frustración, la amargura o el resentimiento), os recomiendo que dediquéis diariamente algún tiempo a esa situación, que hagáis de ella una «meditación» en la forma que os he indicado, y que no dejéis de hacerlo hasta que, poco a poco, se haya sedimentado y deje de distraeros.

Apéndice:
Ayudas para la oración

Quisiera haceros una serie de indicaciones sobre la oración que han demostrado ser de suma utilidad para muchas personas y que es probable que puedan ayudaros también a algunos de vosotros. Se ha dicho muchas veces, y con razón, que la oración es algo connatural al hombre. En el fondo, el hombre es un «animal orante». Pero, precisamente porque eso es cierto, no quisiera que pensarais que la oración es fácil y que no requiere aprendizaje. También el andar es connatural al hombre, pero lleva tiempo y muy penosos esfuerzos aprender a mantenerse erguido y a caminar. E igualmente connatural al hombre es el amor, a pesar de lo cual son muy pocos los seres humanos que dominan el arte de amar, que también requiere mucho aprendizaje. Pues bien, lo mismo sucede con la oración. Si somos capaces de aceptar que la oración es un arte que, al igual que otras muchas artes, requiere un exigente aprendizaje y muchísima práctica, si es que se desea ser experto en ella, entonces creo que habremos dado un gran paso en la tarea de aprender dicho arte y, con el tiempo, sobresalir en él.

Ahora bien, las indicaciones que voy a daros no tendrán el mismo valor para todos y cada uno de vosotros. Algunas de ellas resultarán para algunos de vosotros completamente inútiles e incluso molestas y perjudiciales. Si es así, no tengáis reparo en rechazarlas, porque se supone que deberían ayudaros a orar de un modo más fácil, más sencillo y más eficaz, no a complicaros las cosas ni a crearos más tensión.

Una vez despejado el terreno con estas advertencias preliminares, comenzaré haciendo la siguiente afirmación general: la principal razón por la que la mayoría de las personas hacen muy pocos progresos en el arte de la oración es que se olvidan de dar a ésta todas las dimensiones humanas que requiere.

Me explicaré: somos seres humanos, criaturas ubicadas en el tiempo y en el espacio. Criaturas que tienen un cuerpo, que hacen uso de las palabras, que viven en estructuras colectivas (o comunidades) y que se ven influidas por emociones. Nuestra oración debe, pues, contener tales elementos. Necesitamos palabras para orar. Necesitamos orar con nuestros cuerpos. Necesitamos un tiempo y un lugar apropiados para la oración... No estoy sugiriendo que ésta sea una norma general, ni mucho menos. Lo que digo es que, de ordinario, nuestra oración necesita todas esas cosas, especialmente en sus primeras etapas, cuando aún no es más que una tierna planta en crecimiento; y lo más probable es que siga necesitándolas cuando ya se ha convertido en un frondoso árbol, aunque para entonces ya haya desarrollado su propia identidad y sea capaz de elegir cuidadosamente entre dichos elementos (el tiempo, el espacio, el cuerpo, las palabras, la música, los sonidos, el ritmo, la comunidad, las emociones...). En esta charla me propongo hablar de algunos de ellos, comenzando por el cuerpo.

El cuerpo en la oración

Cierto autor habla de un hombre al que encontró cómodamente repantigado en su sillón mientras fumaba un cigarrillo. Nuestro autor le dijo: «Pareces abstraído en tus pensamientos...» Y el otro le replicó: «Estoy orando». «¿Orando?», le preguntó aquél; «y dime: si el Señor resucitado se encontrara aquí en todo su esplendor y su gloria,

¿estarías sentado de ese modo?» «No», respondió el otro, «supongo que no...» «Entonces», dijo el autor, «en este momento no tienes conciencia de que está presente aquí contigo. Por tanto, no estás orando».

Hay mucho de verdad en lo que dice este autor. Pruébalo por ti mismo. Un día en el que sientas aridez o sequedad espiritual, trata de evocar la imagen de Jesucristo delante de ti, en todo el esplendor de su resurrección. Entonces permanece de pie (o sentado, o de rodillas) ante él, con tus manos devotamente unidas en actitud orante. En otras palabras, expresa con tu cuerpo el sentimiento de reverencia y devoción que te gustaría sentir en su presencia, pero que en ese momento no sientes. Lo más probable es que, al cabo de un rato muy breve, constates cómo tu corazón y tu mente están también expresando lo mismo que expresa tu cuerpo. Tu conciencia de su presencia se verá intensificada, y tu tibio corazón empezará a sentir calor. Ésta es la gran ventaja de orar con el cuerpo, de llevar nuestro cuerpo a la oración. Hoy está de moda insistir en que somos seres humanos de carne y hueso, seres corporales; incluso tienes que oír cómo algunos te dicen: «Yo no sólo tengo un cuerpo, sino que soy mi cuerpo»... hasta que llega el momento de orar. Entonces es como si fueran puro espíritu o puro intelecto; del cuerpo, sencillamente, se prescinde.

Comunicación no-verbal

Muchos psicólogos son conscientes del valor que tiene el expresar cosas con el cuerpo, en lugar de hacerlo con palabras. Es algo que he intentado hacer en terapias de grupo. Y a veces consigo que una persona se comunique con otra, dentro del grupo, únicamente con los ojos. «Di algo a tu vecino con los ojos (o con las manos)», le digo yo. La fuerza comunicativa que se consigue es casi siempre evidente. A veces la persona dice: «No puedo hacerlo», y confesará que tiene miedo a parecer ridícula. Pero muchas veces no es el sentido del ridículo el que la retiene, sino la profundidad y la autenticidad de la comunicación que ello implica; una profundidad y una autenticidad a la que esa persona no está acostumbrada y que es incapaz de soportar. Las palabras, en cambio, son un medio más cómodo de expresión: podemos ocultarnos detrás de ellas, podemos usarlas (y es lo que hacemos por lo general) no para comunicarnos, sino para impedir una verdadera comunicación.

A veces digo al grupo: «Vamos a emplear los diez primeros minutos de esta sesión en comunicarnos sin palabras. Emplead los medios que queráis, menos las palabras, para comunicaros con los demás». Una vez más, se trata de invitarles a que se comuniquen con el cuerpo, con los ojos, con las manos, con los movimientos... Pues bien, la mayoría de las personas rehusan la invitación, porque les resulta algo demasiado amenazador. La fuerza y la verdad de esta comunicación son para ellas realmente insoportables.

Cuando os retiréis luego a vuestras habitaciones para orar, intentad hacer lo siguiente: poneos ante una imagen de Jesucristo, o imaginad que él se encuentra delante de vosotros. Miradle de un modo suplicante, permaneced así durante un rato y comprobad qué es lo que sentís. Luego cambiad esa mirada por una mirada de amor..., de confianza..., de entusiasmo..., de aflicción y arrepentimiento..., de abandono... Tratad de expresar con los ojos estas u otras actitudes. Lo más probable es que salga muy beneficiada la intimidad y profundidad de vuestra comunicación con el Señor.

Podéis también tratar de expresaros únicamente con el cuerpo. Haced de ello todo un rito. Ponte a solas en su presencia durante un rato. Luego, lentamente, levanta la cabeza hasta que tus ojos queden fijos en el techo. Mantén esa postura unos instantes. A continuación, eleva poco a poco las manos, con las palmas hacia arriba, hasta que queden a la altura del pecho. Déjalas ahí un momento. Luego acércalas lentamente la una a la otra hasta que queden juntas, siempre con las palmas hacia arriba, como sosteniendo una patena o un plato. (También pueden adoptar la forma de un cuenco o de un cáliz). Esta postura pretende expresar el ofrecimiento a Dios de la propia persona. Mantén esa postura durante tres o cuatro minutos, y luego, lentamente, haz que la cabeza y las manos vuelvan a su posición primera. A continuación, puedes expresar de nuevo esta misma actitud de ofrenda repitiendo el mismo rito (o, tal vez, inventando uno nuevo), o puedes también pasar a expresar una distinta actitud o disposición.

He aquí otro ejemplo: mantente erguido en medio de la habitación, con la vista al frente, como si estuvieras mirando al horizonte. Luego, poco a poco, alza las manos hasta la altura del pecho y estíralas hacia afuera, con los brazos totalmente extendidos en cruz y las palmas de las manos hacia adelante. Mantente así durante tres o cuatro minutos. Puedes usar esta postura para expresar el ardiente deseo de que venga el Señor, o bien para manifestar una actitud de acogida (referida al Señor o referida a todos los hombres, tus hermanos, a quienes quieres acoger en tu corazón).

Un último ejemplo: ponte por un momento en presencia del Señor. A continuación, arrodíllate y junta las manos en actitud orante a la altura del pecho. Permanece así unos minutos. Luego, muy poco a poco, ponte a cuatro patas, como si fueras una bestia de carga ante el Señor. Humíllate aún más, hasta quedar tendido en el suelo, y extiende los brazos de modo que tu cuerpo adopte la figura de una cruz. Permanece así durante unos minutos, en expresión de postración, de súplica o de impotencia.

No os limitéis a estos ejemplos que os he ofrecido. Sed creativos y tratad de inventar vuestra propia forma de expresar, de manera no verbal, la adoración, la ternura, la aflicción o cualquier otra actitud, y descubriréis el valor que encierra el orar con el cuerpo. Ya hace muchos siglos que esto fue observado por san Agustín, el cual dijo que, por alguna misteriosa razón que él no alcanzaba a comprender, siempre que alzaba sus manos en oración notaba cómo, al cabo de un rato, su corazón se elevaba hacia Dios. Lo cual me recuerda que es precisamente esto (alzar sus manos hacia arriba) lo que el sacerdote hace en la Misa cuando dice: «¡Levantemos el corazón!» ¡Lástima que no tengamos la costumbre de alzar todos las manos cuando respondemos: «Lo tenemos levantado hacia el Señor»!

El cuerpo en reposo

Lo que he sugerido hasta ahora será de utilidad para vosotros si queréis usar activamente vuestro cuerpo en la oración; en otras palabras, si queréis orar activamente con vuestro cuerpo. O, lo que es lo mismo, será de utilidad en aquellos momentos en que recurráis a lo que podríamos llamar «oración devocional».

Pero hay otra forma de oración (otras muchas formas, en realidad): la oración de quietud y reposo, oración de la fantasía y las formas mentales, en la que el movimiento del cuerpo sería más un obstáculo que una ayuda. Lo que entonces se necesita es una perfecta inmovilidad del cuerpo que fomente la paz y ayude a disipar las distracciones. Para conseguir esa inmovilidad, sugiero lo siguiente:

Siéntate en una postura cómoda (lo cual no significa «indolente») y pon las manos en tu regazo. Toma conciencia de las diversas sensaciones que ahora voy a mencionar; sensaciones que tú tienes, pero de las que no eres explícitamente consciente. Toma conciencia del contacto de tu ropa con tus hombros... Al cabo de tres o cuatro segundos, fíjate en el contacto de esa misma ropa con tu espalda, o de ésta con el respaldo de la silla... Fíjate luego en la sensación de tus manos que descansan sobre tu regazo... De tus muslos en contacto con el asiento... De las plantas de tus pies en contacto con los zapatos... Luego toma conciencia de tu postura sedente... Y vuelve de nuevo a los hombros, a la espalda, a las manos, a los muslos, a los pies... No te demores más de tres o cuatro segundos en cada una de estas sensaciones.

Al cabo de un rato, puedes pasar a las sensaciones en otras partes de tu cuerpo. Lo importante es que *sientas* esas sensaciones, no que las *pienses*. Muchas personas no tienen ninguna clase de sensación en algunas partes de su cuerpo, o en ninguna de ellas. Lo único que tienen es una especie de «mapa mental» de su cuerpo. Por eso, al hacer este ejercicio, es probable que pasen de una noción o imagen (de sus manos, de sus pies, de su espalda...) a otra, pero no de una sensacióna otra.

Si permaneces en este ejercicio durante un rato, comprobarás cómo tu cuerpo se relaja. Si te pones tenso, toma conciencia de cada una de las tensiones que experimentas. Comprueba dónde estás sintiéndote tenso y de qué tensión se trata; en otras palabras, cómo estás poniéndote tenso en esa zona concreta... También esto irá llevándote, poco a poco, a una mayor relajación física. Al final, tu cuerpo quedará perfectamente tranquilo y sosegado. Permanece en esa quietud durante algún tiempo. Saboréala, descansa en ella... No hagas el más mínimo movimiento, por muchas ganas que sientas de cambiar de postura, de moverte o de rascarte... Si las ganas de moverte aumentan, toma conciencia de ello, del propio impulso, y éste no tardará en apaciguarse, y tú volverás a experimentar un gran sosiego corporal. Este sosiego o quietud constituye una excelente plataforma para la oración. Pasemos ahora a la oración en cuanto tal.

Por supuesto que la quietud corporal no va a resolver todas las dificultades que aún se te van a presentar en la oración, y entre las cuales ocupan un lugar destacado las distracciones de la mente. Pero sí hay algo que tu cuerpo puede hacer para ayudarte a combatir dichas distracciones.

Los que están familiarizados con la práctica del «yoga» nos dicen que, cuando logran dominar la postura del «loto», suelen experimentar un sosiego perfecto, no sólo de su cuerpo, sino también de su mente. Y algunos llegan a decir que en esa postura les resulta imposible pensar. La mente queda en blanco, y lo único que pueden hacer es contemplar, pero no pensar: hasta tal punto puede influir el cuerpo en nuestro estado anímico. Ahora bien, la postura del «loto» es algo a lo que sólo se llega a base de muchísimo esfuerzo y muchos meses de disciplina, lo cual, desgraciadamente, está fuera del alcance de la mayoría de nosotros. Pero, sin necesidad de dicha postura, todavía es mucho lo que tu cuerpo puede hacer para ayudarte a combatir las distracciones.

Una de las cosas que puedes hacer es mantener los ojos semiabiertos y mirar a un punto situado como a un metro de distancia. Esto ha demostrado ser de gran ayuda para muchas personas, que, en cambio, cuando cierran del todo los ojos, de algún modo parecen tener ante sí una especie de pantalla en blanco en la que, a continuación, su mente procede a proyectar toda clase de pensamientos e imágenes. Mantener los ojos semiabiertos les ayuda a concentrarse. Naturalmente, es importante que la vista no vaya de un lugar a otro y que los ojos no se fijen en un objeto móvil, porque ello constituiría otro motivo de distracción. Si ves que el mantener los ojos semiabiertos te sirve de ayuda en la oración, fíjalos en un objeto o en un punto poco distante y sumérgete en la oración. Una última precaución: cerciórate de que tus ojos no se fijan en un objeto luminoso, porque es probable que ello ocasione una forma mitigada de hipnosis.

Otra cosa que puedes hacer es mantener la espalda recta. Curiosamente, el hecho de que la espina dorsal esté doblada fomenta las distracciones, mientras que, si se mantiene recta, la distracción es menos probable. Recuerdo haber oído que algunos maestros «Zen» saben si sus discípulos están distraídos o no, simplemente con observar si su espalda está erguida o encorvada. Ahora bien, yo no estoy tan seguro de que una espalda encorvada sea indicio seguro de una mente distraída. En ocasiones, yo mismo he orado sin distracción alguna a pesar de no mantener recta la espalda. Pero sí creo que una espalda recta es de gran ayuda para sosegar la mente. De hecho, algunos monjes tibetanos conceden tal importancia a la posición erecta de la espalda que recomiendan tenderse totalmente boca arriba mientras se medita. ¡Un estupendo consejo... si no fuera porque la mayoría de las personas a las que yo conozco se quedan dormidas a los pocos minutos de haber adoptado semejante postura!

El problema de la tensión y el nerviosismo

Por desgracia, hoy son muchas las personas totalmente incapaces de estar tranquilamente sentadas. Están tan nerviosas y tensas que el mero hecho de permanecer sentadas un par de minutos tiende a incrementar su tensión. Sin embargo, es importante para la oración el que seamos capaces de estar físicamente tranquilos. Ni que decir tiene que es posible hacer oración (y, de hecho, se hace) en movimiento; pero, por lo general, no será una oración profunda. Tan pronto como una persona que anda moviéndose de un lado para otro se ve invadida por un «acceso» de oración profunda, tiende a quedarse quieta, como si de pronto se hubiera visto inmersa en un «algo» indefinible. Es cierto que hay profundas experiencias místicas que le sobrevienen inesperadamente al ser humano y que le inspiran a éste un deseo irrefrenable de brincar, danzar y moverse de un lado a otro; pero esas experiencias son más la excepción que la norma. De ordinario, la oración profunda es inseparable de una quietud y un sosiego corporal. Por eso no te recomiendo que pasees mientras oras. Pero si, por lo que sea, sientes una fuerte necesidad de moverte, te recomiendo lo siguiente:

Toma conciencia de esa necesidad o impulso que sientes. Observa los efectos físicos que ello produce en tu cuerpo: la tensión, la zona concreta en que sientes dicha tensión, la resistencia que opones al impulso de moverte... Si, al cabo de unos minutos, no has logrado tranquilizarte, entonces camina muy lentamente de un lado a otro de tu habitación, de la siguiente manera: mueve hacia adelante tu pierna derecha y sé plenamente consciente de la sensación de movimiento que experimentas en tu pie derecho al levantarlo, al posarlo en el suelo, al sentir sobre él el peso de tu cuerpo... Luego haz lo mismo con tu pie izquierdo. Tal vez te ayude a concentrarte el verbalizar internamente esos movimientos: «Mi pie derecho se levanta... Mi pie derecho avanza... Mi pie derecho se posa... Mi pie derecho se asienta... Mi pie izquierdo se levanta... Mi pie izquierdo avanza... Mi pie izquierdo se posa... Mi pie izquierdo se asienta...» Esto te ayudará sobremanera a calmar tus tensiones corporales y tu necesidad compulsiva de moverte. Trata luego de permanecer durante un rato en una determinada postura y comprueba si puedes mantenerla el tiempo suficiente como para orar.

Si, por la razón que sea, resulta que estás tan tenso y nervioso que todo lo anterior no te ayuda en absoluto, entonces te sugiero que pasees arriba y abajo en tu habitación o en un tranquilo rincón del jardín. Esto puede aliviar tu tensión. Pero cerciórate de que, mientras paseas arriba y abajo, no «pasean» también tus ojos de un lado a otro, porque ello te impedirá concentrarte y orar. Recuerda, no obstante, que esto no es más que una concesión temporal a tu nerviosismo, y no dejes de intentar volver a una postura de inmovilidad y de acostumbrar a tu cuerpo a permanecer quieto y sosegado.

Hay otra cosa que también puedes hacer si no te es posible dejar de moverte: orar con tu cuerpo del modo en que te sugería antes, moviéndolo con gestos lentos y pausados, o cambiar tu postura cada tres o cuatro minutos (muy lentamente, eso sí, sin ninguna brusquedad: como los pétalos de una flor al abrirse). Es muy posible que, al cabo de un rato, consigas quedarte en una de esas posturas y no tengas ya necesidad de cambiar.

Tu postura favorita

Si logras adquirir alguna experiencia en la oración, no tardarás mucho en descubrir la postura que mejor se te adapte, y casi invariablemente adoptarás dicha postura cada vez que ores. Además, la experiencia te enseñará cuán acertado es que te atengas a esa postura y no la cambies con demasiada facilidad. Parecerá extraño que nos resulte más fácil amar a Dios o entrar en contacto con Él por el hecho de adoptar una postura y no otra, pero esto es precisamente lo que nos dice Richard Rolle, un célebre místico inglés.

Sea cual sea la postura que mejor te resulte para orar (de rodillas, de pie, sentado o postrado), te recomiendo que no la cambies fácilmente, aun cuando al comienzo te parezca ligeramente difícil o dolorosa. Ten paciencia con el dolor, porque el fruto que obtengas de la oración merecerá la pena. Sólo en el caso de que el dolor sea tan intenso que sirva únicamente para distraerte, deberás cambiar de postura. Pero hazlo siempre muy suave y lentamente, «como los pétalos de una flor al abrirse o al cerrarse», en palabras de un maestro indio de espiritualidad.

La postura ideal será la que logre combinar el debido respeto a la presencia de Dios con el reposo y la paz del cuerpo. Sólo la práctica te proporcionará esa paz, ese sosiego y ese respeto; y entonces descubrirás en tu cuerpo un valioso aliado para tu oración e incluso, a veces, un estímulo positivo para orar.

La fragilidad de nuestra vida de oración

Hay personas a las que no les gusta nada que se hable tanto de «ayudas» para nuestra vida de oración. ¿Acaso, piensan ellas, es nuestra vida de oración algo que necesite ser tan cuidado, protegido y «mimado»? ¿Acaso el estar tan curvados sobre nosotros mismos, el velar tanto por nuestra vida de oración y el rodearla de tantos mecanismos de protección no es exagerar excesivamente?

Puede que lo sea. Pero lo cierto es que nuestra vida de oración, como cualquier otra vida en el planeta, es sumamente frágil; y, cuanto antes logremos comprenderlo, tanto mejor. La Naturaleza nos ha rodeado de toda clase de ayudas sin las que no podríamos sobrevivir. Si, por ejemplo, la presión atmosférica sobrepasa, por arriba o por abajo, un determinado punto, o si la temperatura aumenta o disminuye excesivamente, entonces la vida (animal, vegetal e incluso humana) se extingue inmediatamente. Necesitamos comer y beber a diario, y llenar de aire nuestros pulmones cada minuto, si queremos sobrevivir. Por otra parte, ¡cuántos esfuerzos hace la ciencia médica para proteger nuestra salud y nuestro bienestar físico...! Gracias a todas estas precauciones, los seres humanos podemos hoy vivir más tiempo y más saludablemente.

Y no es que nuestra vida de oración vaya a necesitar siempre todas esas ayudas y apoyos. Llegará un momento en que el tierno arbolito se convierta en un robusto roble, y entonces podremos resistir los embates de los vientos de la vida y hasta aprovecharnos de ellos. Pero, mientras ese crecimiento no se haya producido, deberemos proteger muy bien el «arbolito», cuidarlo y alimentarlo constantemente. Tal vez sepamos por experiencia cuán fácilmente se deteriora (y hasta se echa a perder por completo) nuestra vida de oración cuando olvidamos protegerla con el recogimiento, con el silencio, con la lectura espiritual y con tantas otras ayudas que, al cabo de un tiempo, parecen resultar molestas a quienes están impacientes por lograr resultados y tratan de obtener frutos de un árbol que no han cultivado laboriosamente.

Escoger un lugar para orar

Una ayuda para la oración que suele pasarse por alto es el «lugar». El lugar que escojas para orar puede afectar enormemente a tu oración, para bien o para mal. ¿No te ha llamado nunca la atención el que Jesús escogiera determinados lugares para orar? Si alguien no tenía necesidad de hacerlo, sería él, que era el Maestro de la oración y que estaba en constante contacto con su Padre celestial. Y, sin embargo, Jesús se toma la molestia de subirse a una montaña cuando quiere orar largo y tendido. La cima de una montaña parece ser su lugar favorito para orar: sube a orar a lo alto de una montaña antes de pronunciar el Sermón del Monte, o cuando le buscan para hacerle rey, o el día de la transfiguración... O bien, acude al huerto de Getsemaní, que también parece haber sido uno de sus lugares preferidos de oración. O, simplemente, se retira a lo que los evangelios llaman «un lugar desierto». Jesús se aleja y escoge un lugar que invite a la oración.

Hay, pues, ciertos lugares que parecen favorecer la oración. La tranquilidad de un jardín, la umbrosa ribera de un río, la paz de una montaña, la infinita extensión del mar, la terraza abierta a las estrellas de la noche o a la belleza de un amanecer, la sagrada oscuridad de una iglesia tenuemente iluminada...: todas estas cosas parecen casi producir por sí solas la oración en nuestro interior.

Naturalmente, no siempre tendremos la suerte de tener a mano semejantes lugares, sobre todo los que estamos condenados a vivir en las enormes ciudades modernas; ahora bien, si hemos disfrutado alguna vez de esos lugares, podremos llevarlos siempre en el corazón. Entonces nos bastará con volver a ellos en la imaginación para sacar de la oración todo el provecho que sacamos cuando estuvimos realmente en ellos. Incluso una fotografía de dichos lugares puede ayudarnos a orar. Conozco a un santo y muy piadoso jesuita que posee una pequeña colección de las típicas fotografías de calendario con preciosos paisajes y que, según me contó él mismo, cuando se siente cansado, le basta con mirar durante un rato una de esas fotografías para ponerse en trance de oración. Teilhard de Chardin habla del «potencial espiritual de la materia». Y es que la materia está en realidad cargada de espíritu, y éste pocas veces resulta tan evidente como en esos lugares propicios a la oración, con tal de que sepamos captar todo el potencial oracional de que están cargados.

Hemos de tener mucho cuidado de no incurrir en una especie de «angelismo» que nos haga pensar que estamos por encima de todas esas ayudas que tales lugares pueden ofrecernos para la oración. Hace falta humildad de nuestra parte para aceptar el hecho de que estamos inmersos en la materia y de que dependemos de la materia incluso por lo que atañe a nuestras necesidades espirituales. Recuerdo que, estando yo todavía en mi etapa de formación, un jesuita nos decía lo siguiente: «El error que solemos cometer los jesuitas cuando tratamos de ayudar a los laicos a orar consiste en pensar que, como nosotros no necesitamos ayudas para orar, tampoco las necesitan ellos. Pero los laicos necesitan la ayuda que un ambiente de recogimiento supone para la oración: el ambiente de una iglesia, por ejemplo, con sus imágenes y sus cuadros que tratan de evocar a Dios. Con nosotros, los jesuitas, la cosa es distinta, porque, debido a nuestra formación intelectual, podemos en cualquier momento interrumpir nuestro trabajo en el despacho o en la mesa de estudio y, allí mismo, sumergirnos en la oración, rodeados de libros, de papeles y de todo ese ambiente del trabajo cotidiano». Ahora que ya tengo alguna experiencia en orientar a jesuitas en su oración y en su vida espiritual, estoy absolutamente convencido de que aquel buen padre tenía razón en lo que decía acerca de los laicos, pero estaba muy equivocado con respecto a sus hermanos jesuitas, que, a fin de cuentas, también somos seres humanos, y por eso tenemos tanta necesidad como los laicos de un lugar y una atmósfera adecuados para orar; más aún, tenemos más necesidad que ellos, debido precisamente a nuestra formación, a veces excesivamente intelectual.

En los Ejercicios Espirituales recomienda san Ignacio que, para mejor obtener el fruto espiritual que busca en la primera semana de los Ejercicios («contrición, dolor, lágrimas por sus pecados»: EE. 4), el ejercitante cierre las ventanas de su habitación al objeto de crear una atmósfera de oscuridad y recogimiento (cf. EE. 79). Intentadlo también vosotros. O dad un paso más y encerraros en una habitación absolutamente a oscuras e iluminadla únicamente con la débil luz de una vela. Luego poneos a orar y comprobad si ello afecta a vuestra oración (tened cuidado, eso sí, de no fijar la vista en la llama, porque podríais entrar en trance hipnótico). Supongo que la idea que subyace a la costumbre de celebrar la cena de Navidad a la luz de las velas es que esta luz crea una atmósfera que influye en nuestro estado de ánimo, del mismo modo que la luz de los tubos fluorescentes crea una atmósfera totalmente distinta. Fijaos en el efecto que produce en vosotros un día nublado y el que produce un día radiante y soleado después de una semana de lluvia, cuando todo respira vida y frescor, y comprenderéis que todas estas cosas «materiales» influyen muy profundamente en nuestro estado de ánimo. Muchos santos lo han comprendido así y han obtenido de ello un gran provecho espiritual.

Orar en el mismo lugar: lugares «santos»

Quiero sugeriros ahora algo que habrá de extrañar a quienes no lo han experimentado. Se trata de que, en la medida de lo posible, oréis en un lugar como cualquiera de los que os he indicado (un lugar en el que poder estar en contacto con la naturaleza), o bien en un lugar «santo», es decir, un lugar reservado a la oración: una iglesia, una capilla, un oratorio... (Si esto no fuera posible, reservad al menos un rincón para la oración en vuestra habitación o en vuestra casa, y orad allí cada día; ese lugar adquirirá para vosotros un carácter sagrado, y al cabo de un tiempo comprobaréis que os resulta más fácil orar allí que en cualquier otro lugar).

Poco a poco, iréis desarrollando lo que yo llamaría un «sentido de los lugares santos». Comprobaréis cuán fácil es orar en lugares que han sido santificados por la presencia y la oración de hombres santos, y comprenderéis la razón de las peregrinaciones a dichos lugares. Conozco a personas que son capaces de entrar en una casa y detectar con bastante precisión la situación espiritual de la comunidad que la habita, porque pueden «olerla», percibirla en el ambiente. A mí mismo me resultaba difícil creerlo, pero he tenido muchas pruebas de ello, y ahora ya no puedo dudarlo.

En cierta ocasión hice un retiro bajo la dirección de un maestro budista que nos dijo que probablemente nos resultaría más fácil meditar en la sala de oración que en nuestras habitaciones. Y, con gran sorpresa por mi parte, comprobé que era cierto. Él lo atribuía a las «buenas vibraciones» de aquella sala, producto de tanta oración como se había hecho en ella. Yo lo atribuí a la autosugestión, al hecho de que el maestro lo había sugerido. Cuando, poco después, dirigí yo un retiro parecido a un grupo de jesuitas, tuve la precaución de no hacer sugerencia alguna acerca del lugar de oración. Pues bien, para mi sorpresa, muchos de aquellos jesuitas vinieron a decirme espontáneamente que les resultaba mucho más fácil meditar y encontrar paz y tranquilidad en la capilla que en sus habitaciones. Recuerdo también lo que, años más tarde, me contó un colega jesuita: había dado unos Ejercicios en cierto lugar, cerca del cual vivía un «sannyasi» (un santón hindú) que, al concluir los Ejercicios, fue a verle y le dijo: «¿Qué hacían ustedes todos los días entre las nueve y las diez de la noche? Desde mi casa podía sentir cómo aumentaban las buenas vibraciones...» El jesuita no salía de su asombro: todas las noches, entre las nueve y las diez, se reunían los ejercitantes en la capilla para tener una «Hora Santa» junto al Santísimo. ¿Cómo podía haberlo detectado aquel «sannyasi», con la calle de por medio, si nadie había ido a contárselo?

Lo cual me lleva al punto siguiente: muchas personas tienen un carisma especial que las induce a orar delante del Santísimo. De algún modo, su oración se hace más viva en presencia de la Eucaristía. Sabemos de algunos santos que han sentido este carisma tan intensamente que eran capaces, como por instinto, de saber si el Santísimo estaba o no reservado en un lugar, aunque no hubiera signos externos que lo revelaran; o que podían incluso detectar la diferencia entre una forma consagrada y otra no consagrada, simplemente por ese especial instinto hacia el Santísimo Sacramento. Tal vez vosotros no poseáis un carisma o instinto tan intenso, pero sí lo suficiente, quizá, como para haber observado que vuestra oración es distinta cuando la hacéis delante del Santísmo. Si es así, os aconsejo que «explotéis» ese carisma, que no dejéis que se extinga, porque habrá de proporcionaros enormes beneficios espirituales. Orad ante el Santísimo siempre que podáis.

Y una última observación acerca del lugar de oración: sea cual sea el lugar en el que oréis, procurad que siempre esté limpio. Recuerdo haber leído un libro budista sobre la meditación donde se daban instrucciones muy detalladas y concretas acerca del modo de preparar el lugar de la misma: «Barrer y fregar cuidadosamente el lugar, decía el libro, y cubrirlo con una sábana perfectamente limpia; a continuación, tomar un baño para purificar el cuerpo y vestirse con ropa ligera y que esté también perfectamente limpia; quemar un par de barras de incienso para perfumar la atmósfera. Entonces puede darse comienzo a la meditación». ¡Excelente consejo, realmente! ¿No habéis observado lo que influye en la devoción el hecho de celebrar la Eucaristía en un altar en mal estado, con unos ornamentos viejos y raídos y con un mantel sucio? No lo permitáis fácilmente (os sorprenderá comprobar, si no lo sabéis, lo que pueden hacer un par de religiosas que se encarguen de estas cosas). Procurad que esté todo perfectamente limpio (el altar, el suelo, el cáliz, los candelabros...), usad un mantel blanco como la nieve y unos ornamentos sencillos, pero atractivos, ¡...y será como si os hubierais renovado interiormente!

Recuerdo haber entrado en una pequeña capilla budista en el Himalaya y ver allí, delante de una imagen de Buda, unos recipientes de plata, de distintos tamaños, perfectamente relucientes y llenos de agua cristalina, cuya sola visión me impresionó, y sigue impresionándome todavía hoy cuando lo recuerdo. Aquello bastó para, de algún modo, sentirme en presencia de Dios.

Prestad atención, pues, al lugar donde realizáis el culto, y no tardaréis en comprobar los benéficos efectos que habrá de producir en vuestra oración.

Ayudas para la oración: el tiempo

Os decía en una charla anterior que a la mayoría de nosotros nos cuesta mucho aceptar nuestra dependencia de la materia y obrar en consecuencia. Aparentemente, la materia nos pone límites, concretamente a nuestra libertad; por eso nos resistimos a escoger un lugar que invite a la oración (¿por qué no vamos a poder orar en cualquier parte, sin tener que

preocuparnos tanto del lugar en que tengamos que hacerlo?).
Nos resistimos también a pedir ayuda a nuestro cuerpo, a buscar posturas que favorezcan la oración (¿por qué no va a servir cualquier postura? ¿Por qué tenemos que depender de nuestro cuerpo?).

Pero tal vez no haya ninguna dependencia que nos cueste más aceptar que nuestra dependencia del tiempo. Sería estupendo que no tuviéramos necesidad de tiempo para orar; que pudiéramos «comprimir» toda nuestra oración en un denso y compacto minuto, y punto. ¡Hay tantas cosas que hacer, tantos libros que leer, tantos trabajos que realizar, tanta gente con la que hablar...! Para la mayoría de nosotros, las veinticuatro horas del día no son suficientes para hacer todo lo que tenemos que hacer. Por eso nos parece una verdadera lástima tener que dedicar una gran parte de ese precioso tiempo a la oración. ¡Si fuera posible disponer de una «oración instantánea», del mismo modo que tenemos «café instantáneo» o «té instantáneo»...! ¿No vale decir aquello de que «todo cuanto hacemos es oración»...? Sería una estupenda forma de eludir la dificultad...

Pero, a medida que pasan los meses y los años, sabemos que esa fórmula, sencillamente, no funciona. No existe tal «oración instantánea», como no existe la «relación instantánea». Si queremos establecer una relación profunda y duradera con alguien, debemos estar dispuestos a darle a esa relación todo el tiempo que haga falta. Pues bien, lo mismo ocurre con la oración, que, a fin de cuentas, es relación con Dios. A medida que pasan los años, constatamos también que nos hemos engañado a nosotros mismos cuando hemos intentado tranquilizarnos queriendo creer que todo cuanto hacíamos era oración. Habría sido más exacto creer que todo cuanto hacíamos *debería* ser oración. Pero, desgraciadamente, lo que debería ser, y lo que de hecho es una realidad en la vida de muchas personas verdaderamente santas, no es una realidad para nosotros. Simplemente, antes de hacer nuestro ese slogan de que «todo es oración», no hemos llegado a esa profundidad de comunión íntima con Dios que es necesaria para hacer que realmente cada una de nuestras acciones sea una oración.

Tal vez sea más exacto decir que los dos principales obstáculos que le impiden orar al hombre moderno son: a) la tensión nerviosa, que le hace imposible estarse quieto; y b) la falta de tiempo. El hombre moderno tiene su tiempo sometido a excesivas y apremiantes exigencias y, desgraciadamente, es demasiado propenso a sentir que la oración es una pérdida de tiempo, sobre todo cuando esa oración no obtiene resultados inmediatos y perfectamente palpables para la mente, el corazón y los sentidos.

El ritmo de la oración:
«Kairós» versus «Chronos»

A no ser que hayamos recibido del Señor un especial don para orar (un don que, por lo que me enseña la experiencia, no es nada frecuente), tendremos que dedicarle una gran parte de nuestro tiempo a la oración si queremos hacer progresos en ella y profundizar nuestra relación con Dios. Aprender a orar es exactamente igual que aprender cualquier otro arte o técnica: requiere muchísima práctica, muchísimo tiempo y muchísima paciencia, porque hoy estás exultante y mañana estás abatido, hoy sientes que has hecho grandes progresos y mañana te preguntas si no te habrás quedado totalmente atascado; y requiere, además, ser practicada con regularidad y hasta diariamente. Si quieres aprender a jugar al tenis o a tocar el violín, sería inconcebible que un día le dedicaras un montón de horas, y al día siguiente ni siquiera pensaras en ello; sería absurdo que sólo jugaras o tocaras cuando te apeteciera: tienes que hacerlo con regularidad, te apetezca o no, si es que realmente quieres que tus manos y todo tu cuerpo se adapten perfectamente a la raqueta o al arco y si de verdad deseas desarrollar ese «sexto sentido» que puede convertirte en un auténtico «virtuoso».Si te entrenas o estudias «a rachas», de manera esporádica, es muy probable que ni siquiera consigas empezar a dominar el arte; sencillamente, estás perdiendo todo el tiempo que le dedicas. Orar sólo cuando tienes ganas es tan funesto como jugar únicamente cuando te apetece... si lo que pretendes es dominar el arte. Cuanto menos ores, tanto peor aprenderás a orar.

Hace algunos años se puso de moda una teoría que fue etiquetada con el nombre de «Ritmo de la oración» y que, en mi opinión, hizo mucho daño (a mi vida de oración ciertamente se lo hizo). Y, aun cuando haya perdido una gran parte de la popularidad de que gozó hace años entre sacerdotes, religiosos y religiosas, tengo la sensación de que aún permanece viva y sigue causando daño. Por eso quisiera explicarla y tratar de refutarla. ¡Ojo!: no estoy en contra de toda teoría conocida con ese nombre de «ritmo de la oración», sino únicamente contra la modalidad a la que voy a referirme.

Según dicha teoría, las diferentes personas están diferentemente constituidas por lo que se refiere a la oración, del mismo modo que lo están por lo que se refiere al ejercicio físico. Es indudable que todo el mundo necesita realizar una cierta cantidad de ejercicio físico para conservar la salud. Pero unas personas lo necesitan más que otras. Unas personas necesitan hacer ejercicio a diario; otras no: les basta con hacerlo cuando el cuerpo siente necesidad de ello. El ejercicio regular, el hacer ejercicio de acuerdo con un programa, parece tan irracional (aunque quizá no tan nocivo) como el comer de acuerdo con un programa preestablecido. Hay que comer cuando se tiene hambre; lo contrario es irracional, además de perjudicial.

Lo mismo ocurre con la oración, según la mencionada teoría. No hay ninguna duda de que la oración requiere tiempo. El problema es determinar cuánto tiempo... y a qué hora. ¿Deberá ser un largo período de tiempo cada vez: una hora entera o más? ¿Deberá hacerse una vez al día o incluso más de una vez al día? Hacer esto significaría orar de acuerdo con un cronómetro y no de acuerdo con la dinámica de la gracia y las propias necesidades espirituales. Hay dos palabras en griego para referirse al tiempo: *chronos*, que hace referencia a la cantidad (horas, minutos, segundos…), y *kairós,* que significa la hora de la gracia, no la hora del reloj. Este último habría sido el sentido en que Jesús habría hablado de su «tiempo» o de su «hora»: habría hablado de su *kairós,* del tiempo divinamente señalado, de la hora de la gracia. Pues bien, dice esta teoría, oremos no de acuerdo con un horario y un programa preestablecidos, sino de acuerdo con nuestro propio *kairós* personal. Busquemos el tiempo de la gracia, estemos alerta a la llamada de Dios a orar y a nuestras propias necesidades espirituales y, cuando suene esa llamada o sintamos la necesidad, entonces oremos y démosle a la oración todo el tiempo que haga falta para satisfacer dicha necesidad o responder a dicha llamada divina.

La teoría es verdaderamente atractiva, porque parece bastante razonable. Siento tener que decir que yo mismo me «convertí» a ella y la puse en práctica durante algunos años, con no poco daño para mi vida de oración. Y, de entre los muchos sacerdotes, religiosos y religiosas a los que he aconsejado espiritualmente, no sé de nadie que haya sacado algún provecho de esta teoría. Permitidme que os explique por qué.

En primer lugar, como ya he dicho, cuanto menos ores, tanto peor aprenderás a orar, porque siempre lo dejarás para otro momento. Hay mil cosas que reclaman nuestro tiempo y nuestra atención: toda clase de emergencias, de situaciones urgentes, de crisis…; y no tardas en darte cuenta de que hace muchísimo que no le dedicas tiempo a la oración, que no oras; que, tal vez, tu única oración sea la Misa y alguna que otra función litúrgica. Poco a poco, vas perdiendo el «apetito», las ganas de orar; tus «músculos» o tus «facultades» para la oración se atrofian, por así decirlo; y, salvo en momentos de verdadero apuro, cuando necesitas desesperadamente la ayuda de Dios, empiezas a vivir prácticamente sin orar. Yo sostengo que el hombre es, esencialmente, un «animal orante». Si fuera capaz de acallar todo su bullicio interior, si pudiera ser ayudado a reconciliarse consigo mismo, la oración brotaría espontáneamente en su corazón. Sin embargo, el hombre siente también en su interior una profunda resistencia a orar. Muchas veces se decide a hacerlo, a reconciliarse consigo mismo, a presentarse ante su Dios..., pero siente dentro de él una resistencia, una voz apenas perceptible que le incita a desistir. ¿Acaso no lo hemos experimentado todos nosotros cuando, después de haber desoído esa voz y habernos decidido a orar, sentimos una y otra vez la tentación de renunciar, de marchar de la capilla o del lugar en el que estamos orando, de abandonar ese mundo desconocido en el que estamos aventurándonos y regresar a los escenarios, sonidos y ocupaciones de la rutina cotidiana de ese mundo en el que nos encontramos más a nuestras anchas?

Y esto me lleva al segundo argumento en contra de la teoría del «reza cuando te lo pida el cuerpo». Acabo de decir que el peligro de esta teoría radica en que cada vez oigas más espaciada y tenuemente la llamada y te hagas menos sensible a ella. Y he dicho también que hay otra llamada, la llamada a huir de la oración, que no deja de solicitar a nuestra mente. En los Ejercicios Espirituales, san Ignacio, hablando de esta voz que nos llama a huir de la oración, dice que constituye una de las experiencias típicas de la persona que trata de darse a Dios y a la vida de oración. Dice también Ignacio que hay períodos de consolación, en los que orar resulta muy fácil y placentero, y períodos de lo que él llama «desolación», en los que se hace excesivamente difícil orar, y uno acaba perdiendo el gusto por la oración y hasta sintiendo hacia ella verdadera repugnancia. Cuando esto sucede, dice Ignacio, lejos de ceder y abandonar la oración con el propósito de volver a ella cuando el temporal amaine, debemos considerar que se trata de un ataque del maligno y, consiguientemente, debemos oponerle resistencia: a) no reduciendo en lo más mínimo el tiempo que hemos asignado a la oración; b) no efectuando ningún cambio en nuestro horario o programa de oración; y c) añadiendo incluso un tiempo extra al tiempo que nos habíamos fijado. Este último consejo suele revelarse sumamente beneficioso incluso desde el punto de vista psicológico, porque, cuando sabes que vas a ceder a cualquier tentación en el sentido de que dejes de orar, es probable que tú mismo provoques cada vez más ese tipo de tentaciones, aunque sea inconscientemente; mientras que, cuando la tentación es combatida enérgicamente y se incrementa el tiempo de oración, aquélla tiende, de un modo u otro, a disiparse.

Esta manera que tiene Ignacio de ver las cosas es, desde luego, diametralmente opuesta a la teoría que estoy tratando de refutar. Y la propia experiencia os demostrará la sabiduría de la visión de Ignacio y los fecundos beneficios espirituales que encierra. Infinidad de personas me han contado cómo han tenido que esforzarse en su oración por combatir las distracciones, resistir la tentación de levantarse y huir, ignorar la insistente voz que trataba de persuadirles de que estaban perdiendo el tiempo, reforzar su determinación de resistir hasta el final durante todo el tiempo que se habían fijado para orar... y cómo de pronto, misteriosamente, la situación había cambiado por completo y se habían visto inundadas de luz, de gracia y de amor de Dios. Si hubieran huido al entender que aquél no era su «kairós», se habrían perdido las abundantes gracias que Dios había reservado para dárselas, al final de su oración, como recompensa a su esfuerzo y a su fidelidad.

Me acuerdo ahora de un estudiante jesuita al que le fue dado vivir una profunda experiencia de Cristo (una experiencia que produjo un efecto decisivo en su vida espiritual) el día en que hizo justamente lo que acabo de decir: resistir la tentación de sucumbir ante la repugnancia y las distracciones y de abandonar la oración. Había ido a la capilla una noche a cumplir su «deber» diario de dedicar una hora entera a la oración. Al cabo de diez minutos, empezó a experimentar lo que ya había experimentado frecuentemente o, por mejor decir, cada vez que acudía a la oración: un fortísimo impulso de levantarse y marchar de allí. Pero aquel día resistió al impulso, no tanto por un motivo verdaderamente espiritual cuanto por la consideración puramente práctica de que no tenía nada especial que hacer durante aquella hora y que, por consiguiente, tanto le daba perderla en la capilla como en su habitación. De modo que aguantó hasta el final. Y diez minutos antes de que se cumpliera la hora... sucedió: Cristo entró en su vida y en su mente como nunca lo había hecho antes, invadiendo su corazón y todo su ser con la conciencia cierta de Su consoladora presencia. He ahí el caso de un hombre que siempre agradeció profundamente el no haber seguido lo que podría haber pensado que era su «ritmo de oración». Y como él hay muchos. Estoy completamente seguro de que todos vosotros estáis en el mismo caso; pero no os fiéis de mi palabra: intentadlo vosotros mismos durante un período de seis meses y lo comprobaréis.

Y tengo una tercera y última razón para oponerme a la teoría del ritmo de la oración, y es la siguiente: cuando una persona ha hecho ciertos progresos en su vida de oración, es probable que llegue a lo que los autores denominan la «oración de fe». Es ésta una forma de oración en la que la persona, por lo general, no experimenta ningún tipo de consolación sensible. De ordinario, siente muchas ganas de orar; pero, en el momento en que va a hacerlo, tiene la sensación de «estar en blanco», como si estuviera perdiendo el tiempo, y generalmente se ve tentada a interrumpir su oración y dejarla para otro momento. Pues bien, es de vital importancia que esa persona *no* deje de orar, sino que siga insistiendo en ello, aunque tenga la sensación de estar perdiendo el tiempo. Lo que le está ocurriendo, aunque ella tal vez no lo sepa, es que está adaptándose poco a poco a otra clase de consolación que, en ese momento, no parece ser sino sequedad; su visión espiritual está aprendiendo dolorosamente a discernir la luz donde ahora no parece haber más que oscuridad; en otras palabras: está adquiriendo nuevos gustos, nuevos sabores en el terreno de la oración.Si decidiera seguir la teoría del «ora cuando te apetezca», corre el riesgo de no sentir ningún tipo de llamada a la oración o, más exactamente, de sentir la llamada, pero también de perder toda gana de orar en el momento de responder a la llamada; y entonces, justamente cuando está progresando en el arte de orar, cuando está ascendiendo a un nuevo y superior nivel de oración, es probable que se dé por vencida.

＊
＊＊

Quizá algún día tenga ocasión de explayarme más sobre las dos últimas razones (la necesidad y la sabiduría de orar más, y no menos, cuando nos encontramos en desolación espiritual, y el complejo asunto de la «oración de fe»). De momento, me conformo con hacerlas constar a modo de refutación de la teoría que hemos venido exponiendo. Pero hay un punto, bastante relacionado con el tema de la «oración de fe», que quisiera subrayar. Y es éste: un hombre verdaderamente espiritual siente un deseo casi habitual de orar; anhela constantemente alejarse de todo y comunicarse en silencio con Dios, entrar en contacto con el Infinito, con el Eterno, con el que es Fundamento de su ser y nuestro Padre, con la Fuente de toda nuestra vida, de nuestro bienestar y de nuestra fuerza. No sé de un solo santo que no haya sentido este constante deseo, este compulsivo instinto, estas ganas casi innatas de orar. Lo cual no significa que lo hicieran. De ningún modo. Muchos de ellos estaban demasiado ocupados en realizar la obra que Dios les había encomendado y no tenían tiempo para satisfacer plenamente su deseo. A pesar de lo cual, el deseo no desaparecía, sino que originaba en ellos una santa tensión, de modo que, cuando estaban orando, sentían la urgencia de andar de aquí para allá haciendo grandes cosas por Cristo; y cuando estaban trabajando por Cristo, anhelaban alejarse de todo para estar a solas con Él. San Pablo, aunque en otro contexto, expresa perfectamente esta tensión cuando, hablando, no de la oración, sino de su deseo de morir y estar con Cristo, dice a los filipenses: «Para mí, la vida es Cristo, y la muerte una ganancia. Pero, si el vivir en la carne significa para mí trabajo fecundo, no sé qué escoger. Me siento apremiado por las dos partes: por una parte, deseo partir y estar con Cristo, lo cual, ciertamente, es con mucho lo mejor; mas, por otra parte, quedarme en la carne es más necesario para vosotros para progreso y gozo de vuestra fe...» (Flp 1,21-25). Pablo era un hombre sumamente activo, profundamente comprometido con su trabajo y con la vida de sus comunidades; sin embargo, sentía esta tensión entre la necesidad de seguir trabajando y el deseo de estar con Cristo.

Lo mismo puede decirse de otro hombre extraordinariamente activo: san Francisco Javier; o de san Juan María Vianney, que tuvo que resistir constantemente la tentación de dejar su parroquia y hacerse ermitaño para emplear todo su tiempo en estar con Dios. Este intenso deseo de huir y estar a solas con Dios hace que toda la vida y la actividad del apóstol sea una oración; que el apóstol se encuentre constantemente inmerso en una atmósfera de oración. El Mahatma Gandhi solía expresarlo diciendo que podía perfectamente pasarse días enteros sin ingerir ningún alimento, pero que no le era posible vivir un solo minuto sin oración. Y afirmaba que, si se le privara de la oración durante un solo minuto, se volvería loco, dado el tipo de vida que llevaba.

Tal vez sea ésta la razón por la que nosotros no sentimos esa necesidad constante de orar y nos dejamos seducir por teorías como la que hemos mencionado: porque no vivimos con la radicalidad con que el Evangelio nos desafía a vivir; por eso no sentimos constantemente la necesidad del alimento, la ayuda y la energía que sólo la oración puede ofrecernos. No «hambreamos» la oración; de hecho, sólo sentimos tal hambre muy raras veces, porque tenemos muchas cosas (muchos intereses, muchos deleites y muchos deseos mundanos; muchos problemas y muchas preocupaciones) en que ocupar nuestra mente y nuestro entendimiento. Estamos demasiado llenos de todo eso para poder sentir el gran vacío de nuestro corazón y la gran necesidad que tenemos de Dios para llenar ese vacío.